おいしいベランダ。
亜潟家のポートレート

竹岡葉月

富士見L文庫

レシピページ・イラスト　おかざきおか

contents

芽が出る、ふくらむ。あなたもおいで、お日さまが出るこの世界に。

一章　まもり、帰ってきたよ東京都練馬。

それは妊娠五ヶ月に入ってからの、妊婦健診での出来事だった。

まもりは通っている総合病院の産婦人科診察室で、医師の診察を受けていた。

「ふーん、ふんふん、ふーん」

先生は三十代ぐらいの比較的若い女医さんで、ケーシーと呼ばれるスタンドカラーの白衣がよく似合っていた。もはやまな板の鯉《こい》のような気分で診察台に寝そべるまもりの腹部に、エコー検査用の探触子《プローブ》をあて、モニターの画像を観察しているところである。

探触子に塗った謎のジェルのせいでテラテラ光り輝く我がお腹《なか》は、こうして寝ていても以前よりはっきりわかる形で、ふっくらと膨らんできていた。

これは昨日食べ過ぎたわけでも、便秘がちなわけでもない。このお腹に、なんと小さいながら人間が一人入っているというのだ。

「いいわねー。赤ちゃん元気よー。これ、この丸いのが頭で、こっちが胴体。手と足。わかる？」

白黒のモニターは、まもりのお腹にいる赤ん坊の、エコー断面図を見せてくれているわけだ。まもりもお腹テラテラの状態ながら、わかるわかるとうなずいた。

「なんか、前よりも人体ぽくなったような……」

「でしょう？　ちゃんと順調に育っている証拠よ。ここ、このおでこの感じとか可愛《かわい》いわよねー。たまんない」

ちょっと先生の発言がマニアックに過ぎる気がするが、モニターに指紋を残してまで我が子を褒めてくれるのは嬉《うれ》しい——気がする。素人目には、まだまだ謎の宇宙人にしか見えないが、きっと何百人も胎児を診てきた先生には、細かい違いがわかるのだろう。

「じゃあもう、性別とかもわかっちゃいますか？」

「ええわかるわよ。〇の子ね」

「え？」

先生が、モニターからこちらを向いた。

「聞こえなかった？　お子さん〇の子」

まもりは診察台に横たわったまま、しばし呆然《ぼうぜん》としてしまった。すぐには日本語の意味が飲み込めなかったというか。

「あ……そうですか。ありがとうございます……」

そうか。◯の子か。そうかそうか。

確率としては二分の一なのだし、そちらになる可能性は充分あった。どちらにしても、葉二《ようじ》と二人の子供だ。早め早めにわかっていた方が、名前も考えやすいしベビー用品の準備も捗《はかど》る。帰ったら葉二にも知らせておかないと。

しかし◯の子か。

思ったよりも、衝撃の波が引かない自分がいた。

「ところで亜潟《あがた》さん。この後のことなんだけど、このままこの病院で産むのよね？」

「あの……それなんですが、実家に里帰りして産みたいと思っていまして」

「ああ、そうなの？　ご実家遠いの？」

「川崎《かわさき》です」

かろうじて、それだけ言った。

「あらー、神奈川県《かながわけん》よね。じゃあ時期が来たら、紹介状を書くわね」

「よろしくお願いします……」

それなりに重要なやり取りのはずだったが、性別判明のショックの方が大きくて、半分は上の空になってしまったのだ。

＊＊＊

そもそもまもり自身、最初は普通に今いる場所で出産するつもりだったのである。

関西でデザイン事務所を旗揚げした葉二について、大学卒業と同時に兵庫県神戸市《ひょうごけんこうべし》にやってきた。大阪《おおさか》に職を得て三年、仕事は休みを貰《もら》ってこのまま続けるつもりだ。

実家も義実家もはるか遠く新幹線の距離で、近くに頼れる人はいないが、夫である葉二の手を借り、なんとか協力して乗り切ろうと思っていたのである。

だから妊婦健診の数日前、まもりは葉二に聞いてみた。

「葉二さんて、育休どれぐらい取れそうですか？」

四月、新年度の慌ただしい時期ながら、ちょうど休日のよく晴れた日だった。旦那様は生来のイケメンを台無しにするジャージ眼鏡姿――これでもまもりと結婚してから、ジャージの交換頻度は上げさせたのだ――で、彼が手塩にかけたベランダ菜園の手入れなどをしている、とにかく一番機嫌が良さそうな頃合いを狙ってみた。

「育休……？」

先月プラポットに種をまいた謎の呪文野菜、コールラビの芽が出て、植え付けできるサイズに育っていた。葉二は見た目は普通のその苗を、新しく用意したプランターに植え替えるつもりらしい。

掃き出し窓に腰掛けるまもりの位置から見えるのは、そんな葉二の端整な横顔で、みるみる険しくなるので嫌な感じはしたのだ。

「俺は取れないぞ」

「やっぱり駄目？　お仕事忙しい!?」

ちくしょうこのワーカホリックめ。一大事なんだから、一ヶ月ぐらいなんとかならんのか。

「二ヶ月とは言わない。一ヶ月、せめて二週間、いや一週間だ持ってけドロボー！」

「だからそんなバナナのたたき売りみたいなこと言われてもな、ないもんはないんだからしょうがないだろ」

「なんで？」

「あれって従業員向けの制度だろ？　社長だの役員だのには、はなから適用されねえし」

まもりは衝撃のあまり、ぱくぱくと口を開けてしまった。そんなバカなと思い、スマホを取ってきて自分でも調べてみた。

結果は、葉二の言う通りのようであった。

「……ほんとだ……」

「小野《おの》や秋本《あきもと》が育休取るなら、話は別なんだけどな」

それは葉二の会社の、女性スタッフさんの名前である。

まもりが取るつもりの『育休』というのは、育児・介護休業法で定めた育児休業だ。取ると休んだ期間の保険料が免除されたり、国から給付金が出たりする。

これは労働者を保護する目的の法律なので、葉二のような経営側の社長や、取締役《とりしまりやく》は適用外——ということらしい。

詳しいところは、マルタニで同じ人事課の先輩、杉丸《すぎまる》に聞いてみるとしても、大枠は外れないだろう。

まもりはスマホを握ったまま、フローリングにひっくり返った。

「ああー、ショック……葉二さん厚生年金入ってたから油断してた……」

「それは会社単位で入ってるからだろ。逆に産休だったら健康保険から金が出るから、社長も従業員も関係ねえけど」

「そもそも葉二さん産まないから、産休意味ないじゃないですかあ……」

「それはそうだ」

何がおかしいのか、葉二はけらけらと笑っている。

保険や年金の形態は会社勤めのまもりとあまり変わらないし、収入も役員報酬という形で毎月決まった額が振り込まれているので、気分的には同じ会社員仲間のような気がしていたが、やっぱり違うのだ。

(そういえば葉二さんの有給とか残業代とかも、聞いたことないな……ないのか、そもそも)

なんということだ。あれだけ働きまくっているのに。定額働き放題か。

シャチョーさん。額面で見れば、平社員のまもりよりよっぽど高収入なのだが、形式的にはフリーランスの頃と、あまり変わらないのかもしれない。

「お国もケチですね……あんなに小さい会社なんだから、融通きかせてくれてもいいのに」

「小さいは余計だ」

「ごめんなさい」

「かわりにいくら休もうが、俺がトップだから文句言う奴はいないぞ。減給になるってこともねえし」

「でも保険料の免除とか、そういうのないですよね」

「……ねえなそれは」

ため息が出た。

内心あてにしていたものが、そもそも適用外であったという事実は、なんにしろショックではある。

「…………あー、だめだわたし。へこんでてもしょうがない。お昼作ろう」

「昼飯かよ」

フローリングに寝転んでいたまもりは、えいやと起き上がった。何はなくともご飯は大事。そのままサンダルを履き直して、ベランダに出た。

「葉二さーん。このプランターのホウレンソウ、収穫しちゃってもOK?」

「行けそうなら行ってくれ」

「わかりました。ならいただきます」

「大きいやつから行けよ」

葉二が移植作業に使っていた園芸用のハサミを、こちらに手渡してきたので、ありがたく使わせてもらう。

(よっこいしょ)

くだんのプランターには、微妙に種まきの時期をずらして育ててきたホウレンソウが、つやつやと濃い緑を増やしていた。一番大きい株のエリアは、草丈二十センチほどに育っていたので、ハサミで根元からばっさりと収穫させてもらう。

加熱料理に使うとあっという間にかさが減ってしまうので、この手の葉野菜は刈り取る時に思い切ってが、コツといえばコツである。

「あとは小松菜か水菜ー……どっちも葉物でホウレンソウとかぶるか。じゃあこっちのエンドウマメちゃんの、絹さやを貰おう」

「おい。おまえそれ、グリーンピースが食べたくて植えたんじゃないのか」

「大丈夫！　彩り用だから、そんなにいっぱいは収穫しませんよ。ちゃんとお豆ご飯にする用は残します」

まもりは安心してと笑い、ホウレンソウの隣に支柱を立てて生長中の、エンドウマメに向き合った。

蔓《つる》なしの品種を選んだので、それほど草丈は大きくないが、今は可愛らしいピンクの花があちこちで咲き、小ぶりの莢《さや》ができはじめていた。

（うんうん、ラブリーラブリー。いい感じよ）

そもそもまもりも詳しいところがよくわかっていなかったのだが、いわゆる焼売《しゅうまい》の上にのっているグリーンピースとは、このエンドウマメを若いうちに莢から取り出したものを指すらしい。大豆で言うなら枝豆である。

そして中の豆が太ってくる前の未成熟なものを、莢ごといただくのがサヤエンドウ。煮物の彩りとしてよく添えてある、薄っぺらいあれだ。まもりにとっては『絹さや』という名称の方がしっくり来るが、これは関東を中心とした呼び名であって、全国区ではないそうな。びっくりである。

さらに豆を取り出さず完熟させて、よく乾燥させると青エンドウマメとなり、ウグイスあんぱんや甘納豆の材料になる。まだまだあるぞ、発芽したばかりの若い芽は豆苗として売られているし、スーパーの店頭に並ぶスナップエンドウも、品種改良されてはいるが基本はエンドウマメと知り、その七変化ぶりには感嘆するしかなかった。

基本豆しか利用せず、しかしその豆を徹底的に活用しつくす大豆に比べ、こちらは豆も葉も莢もオールラウンダーに食べてやるという気概を感じるというか。

(絹さやはね、お料理する時に筋を取らなきゃいけないのが面倒なんだけど、ここで裏技があるのですよ)

収穫する時に、ヘタの下のところでうまく千切ると、そのまま筋だけ本体に残して収穫できるから楽ちんなのだ。

(こうね、ぶちっと千切って、若干筋を残してつつーと引っ張る感じで……よし、うまくいった)

今日は教えてもらった通りに筋と莢を分離できて、まもりは非常に満足した。

問題はそうやって筋とヘタを外してしまうと、あっという間に鮮度が落ちることだが、どうせすぐ料理して食べてしまうのだから心配はいらない。葉二式合理的お料理法だ。

ホウレンソウと絹さやを必要分ゲットしたまもりは、そのままベランダから戻りキッチンに向かった。

「さて、と――」

椅子にかけてあったエプロンをつける。

(まずはお野菜を洗って、鍋にお湯をわかしまーす)

収穫野菜がすっかり綺麗《きれい》になったら、沸いたお湯に絹さや、ホウレンソウの順でさっとくぐらせて水に取る。どちらも緑がクリアに出て美しい。

妊娠中は三食バランスよく、特に葉酸を含んだ食品をよく取るようにと言われており、その点では絹さやもホウレンソウも優秀な野菜なのだが、単純に今が旬で店頭でもベランダでも手に入りやすいという点で、フル活用させてもらっていた。

水気を絞ったホウレンソウは、食べやすい大きさに切ってからボウルに入れる。

「……味付けどうしようかな」

一応、小鉢の副菜的なものを考えていたのだが、ここで迷うところが我ながら残念だ。

まもりのところで収穫できるホウレンソウは、市販のものより癖と甘味があるので、甘い胡麻和《ごまあ》えやめんつゆ路線は却下したい。

「んー……ならナムルでいこう。イカ入りで」

塩は控えめ、ごま油を一回し。おろしニンニクは省略するが、おつまみ用の『さきいか』を細かく裂いて入れてしまう。

(意外とこれが、旨《うま》み追加な上に余計な水分取ってくれていいんだよね)

仕上げに胡麻を振ってまずは一品、ホウレンソウとさきいかのナムルができあがりだ。

お次は冷蔵庫から、卵を数個取り出す。ナムルを小鉢に移してからボウルを洗い、そこに割った卵を入れ、砂糖と酒と塩少々で味をつけてからよく混ぜる。

フライパンに油をひいて。加熱開始。

「本当はわたし――半熟卵か温泉卵が好きなんだけどね！」

しかし同じく妊娠中は生ものを避けろと言われているため、ふわとろ卵は諦めてしっかり加熱した炒り卵《いりたまご》を作るのである。温まったフライパンにじゃっと卵液を投入し、菜箸四本使いで素早くかき回すことにより、ぽろぽろの粒が立った炒り卵を製造する。

できあがったものを皿に移してから、フライパンを拭いて綺麗にした。

(次！)

まもりは引き続いて冷蔵庫を開け、チルド室に一枚だけ余っていた鶏《とり》もも肉を取り出す。

パックからまな板に移す途中、ついつい遠い目になってしまう。

「本当はわたし――親子丼が作りたかったんだけどね！」

しかし卵が半熟でなくカチカチの親子丼などありえないので、この余り肉も皮をむかれ、包丁でダンダンダンと切り刻まれて挽肉《ひきにく》にされてしまうのである。恨んでくれるなとまもりは思う。

よし。だいぶ細かくなった。もとから鶏挽肉が家にあるなら、この工程は不要である。

さきほどのフライパンに油をひき直し、叩《たた》いた鶏肉を入れて炒《いた》めていく。

色が変わってきたら、砂糖とみりんに醬油《しょうゆ》を足し、水気がなくなるまでさらに炒める。

「……なんかうまそうな匂いがするぞ」

「あっ、葉二さんいいところに来た。そろそろできるから、丼にご飯よそって」

「へいへい」

窓を開けていたおかげで、ベランダの葉二をおびき出せたようだ。

葉二はシンクで手を洗ってから、まもりのお願い通り丼二つぶんのご飯をよそってくれた。

熱々の白ご飯に、さきほどの炒り卵と、炒まった鶏そぼろを半々でのせていく。

「卵と鶏肉でそぼろのサイズ感が全然違っちゃってますが、そこは境目に千切りにした絹さやを置くことで、いい感じにカバーしまーす……」

「それは解説か？　言い訳か？」

たぶん両方だ。

卵の黄色と鶏そぼろの茶色、二色の丼に絹さやの鮮やかなライトグリーンが差し色になり、これでぐっと丼が華やかになる。

「まもり流、三色親子丼も完成！　お昼にしようか、葉二さん」

葉二もまもりも、それぞれ自分の席に着く。作った料理にインスタントのお吸い物もつけて、ささやかな休日ランチとした。

「いっただっきまーす」

三色丼は、生卵や温泉卵が食べられなくなってから、代わりによく作るようになったメニューである。三色のうちお肉部分が豚挽肉や鮭《さけ》フレークだったり、野菜部分がカブの葉やアスパラだったりと、取り合わせは収穫物や冷蔵庫の中身と常に相談だ。今回は鶏肉と卵を使っているので、三色丼にして親子丼と言い張れないこともないだろう。

「なかなかうまくできたじゃねえの」

「へっへっへ」

珍しいお褒めの言葉に、まもりの頬もゆるむ。

炒り卵はただ炒めるだけでなく、少し甘めの味をつけてある。そのままでは少々物足りないかもしれないが、中立地帯である絹さやの牙城を崩し、お隣に敷いた鶏そぼろの甘辛味と一緒に食べると、途端に二倍三倍の力を発揮するのだ。今日は一から鶏もも肉を叩いて挽肉にしたので、ごろごろ粗挽きなところも食べ応えに貢献しているはずだ。

お弁当にも登場する簡単メニューだが、どの味が勝ちすぎてもいけない、実はバランス勝負の繊細な料理なのだ——というと、さすがに調子にのるなと葉二に呆《あき》れられるかもしれない。

境目に入れた絹さやも、食べるうちに丼の中で混ざってしまうが、さすがの鮮度でしゃきしゃきと甘いのが嬉《うれ》しい。これはこの先に待っている、グリーンピースご飯にも期待がもてそうだ。

全体に甘辛味な三色親子丼を堪能《たんのう》した後で、小鉢のホウレンソウをいただく。

(偉い、やっぱりおひたしじゃなくてナムルにしたのは、正解だわ)

もうどんどん自画自賛していこう。

こちらも野菜自身の甘さがあるので、よりシャープな塩味をごま油でまとめるぐらいでちょうどいいあんばいだった。少量入れた『さきいか』もいい仕事をしていて、断酒中の身ではつまみも料理で消費するのが大正義なのであった。

「あー、ご飯おいしいって幸せ。ほんとつわり終わってよかった」

最近つくづく思うのだ。妊娠初期の頃の何をしていても気持ちが悪い状態は、病気ではないと言われようが、泣きたいぐらいに辛《つら》いものだった。おかげで今は、あの頃の空白を取り戻すように、もりもりと食がすすんで仕方ない。

「おまえな……あんまり食い過ぎるのも、まずいんじゃないのか？　体重管理できてるのか？」

「……う。まだ平気。先生につっこまれたりはしてない……」

思わぬ指摘に目が泳ぐ。

せっかく食べる意欲が戻ってきたというのに、腹に赤子がいようが上限はプラス何キロまでと言われ、戦々恐々としているところだ。まもりとしてはなるようにしかならないと思っているし、最悪この鬼コーチが止めてくれるだろうとも思っている。

「なあまもり」

「ん、なんです？」

「育休の件だけどな、さっき言った通り制度がないだけで、休めないわけじゃないんだ。必要なら周りに都合つけて、休暇でもなんでも取るぞ」

「いやー、いいですよ葉二さん。とりあえずわたし、実家帰って産んできます」

三色親子丼をぱくつきながら答えると、葉二が目を丸くした。

「実家って……川崎か？」

「そう。前々から母に言われてたんですよね。里帰りしないなら、自分が神戸《こうべ》まで手伝いに行くって聞かなくて。そうなるとこのマンションに、大人三人寝泊まりでしょ？」

想像つくだろうか。あの人とこの空間を共にする、緊張と圧迫感。

「正直気詰まりだし、葉二さんテレワークもするし、どうなんだろうって思ってたんですよ」

「それはまあ……考えるよな」

「休んでもらえたら嬉しいなーとは思ってましたけど、それってわたしの会社の感覚でなんですよね。マルタニでわたし一人が休むのと、葉二さんの会社で葉二さんが休むのじゃ、空く穴の大きさがぜんぜん違うっていうのも、まあまったくその通りで」

あとはもう、単純に打算だ。

何かが免除になるわけでも、余計にお金が貰《もら》えるわけでもないのなら、そのぶん働いて会社の売り上げを上げてもらいたいというのも、普通の感情ではないだろうか。あの少数精鋭もいいところの規模だと、ダイレクトにそのあたりが反映されてしまいそうな気がするのである。

「ですから貴重なお休みは、わたしがこっちに帰ってきてから使ってください。そこは期待してますから」

「……なんつーか、色々すまんな」

「えっ、もしかしてへこんでます？　なんで？」

「おまえの割り切りが良すぎるんだよ……」

まったく妻にあてにされないというのも、夫としてはプライドが傷つくことらしい。慰めるのも大変だった。色々めんどくさいのである。

＊＊＊

まもり『そういうわけでね、ゴールデンウィークにそっち帰ることになったの』
湊《みなと》『えっ、まだ産休入ってないよね？　早くない？』
まもり『それがさー、聞いてよ湊ちゃん。目をつけてたクリニックに問い合わせをしたん

だけど、里帰りだろうが今の時期に一回診察しないと、分娩《ぶんべん》予約を受け付けないっていうの。診断書だけじゃだめみたい』
湊『ひゃー、大変さー』
まもり『なんかどこもそんな感じみたい。仕方ないから一人で乗るよ、新幹線。病院だけ行くのも寂しいから、湊ちゃんにも会いたいんだけど、どう？』
湊『どーもこーもないさー！　久しぶりにまもりの顔見たい！』

（……ありがとう湊ちゃん。心の友よ）


まもりは履歴を見返し、スマホの液晶画面を胸に押しあてた。

電車の窓から見える景色に、六甲《ろっこう》山地のシルエットが見えないと、東京《とうきよう》に帰ってきたなと強く思う。

お目当てだった産科クリニックは実家の近くにあり、前日に診察を受けて、無事予約を取り付けることができた。今日は楽しみにしていた、具志堅《ぐしけん》湊と会う日だ。品川《しながわ》でＪＲに乗り換え、そこからさらに地下鉄に揺られること二十分少々。

――つぎは、練馬《ねりま》。練馬。

大江戸《おおえど》線のアナウンスに、舟をこぎかけていた意識が戻る。まもりはドアが開いたところで電車を下りた。

改札をくぐって地上へ出ると、見慣れた懐かしい景色に胸がつまった。

あれは書店バイトや大学の行き来に使い倒した、西武池袋《せいぶいけぶくろ》線の高架。あちらは就活の服を買ったセレクトショップ。化粧品が安かったドラッグストアに、時間つぶし用のコーヒーショップ。営業時間が長くて助かったスーパーマーケットも、ほとんど変わっていない。十八歳から二十二歳まで、四年間を過ごした練馬の繁華街だ。

(うわー、いつ以来だろ。婚姻届を出して以来……?)

練馬区役所のそばを歩きながら、思わず指折り数えてしまう。

この上で、例の赤レンガ風の六階建てマンションなど見たら、懐かしさで泣いてしまうかもしれない。

「……って、ついちゃったよ」

駅から徒歩十分、正直目をつぶっていても歩ける自信があるルートである。

『パレス練馬』――かつてまもりと葉二が、隣同士で暮らしていたマンションだ。

エレベーターに乗っても、条件反射で五階は押さないようにしなければと思った。確か住所は、三階だったはずだから。

どきどきしながら三階で降り、指定された部屋のインターホンを押した。

『はいはーい』

「わたしだよー」

すぐにドアが開き、南の海のような明るい顔だちの友人が出てきた。良かった、かなり元気そうだと安堵する。

「大丈夫ー？　迎えに行くっていったのに」

「平気平気。ここを迷子になるようじゃやばいよ、わたし」

「そうじゃなくて、お腹《なか》に障んないかとかそういうの」

「健診受けて、太鼓判押されてきたとこだよ。心配してくれなくても大丈夫」

「そう？　なんかもう未知の領域すぎて難しいんだよね」

「今だって一時間近くかけて、梅田《うめだ》まで通勤してるんだよ」

体重増加を防ぐためにも、適度に運動しろとも言われているのである。

「それよりわたし、本気でびっくりしたんだけど。どういう経緯でここに引っ越すことになったの？」

「話してもいいけどさ、とりあえず中入って。立ち話じゃなんでしょ」

それはもっともな話だ。まもりは玄関で靴を脱いだ。

室内は、上の階と変わらない間取りのようだ。ただしリフォームとクリーニングは入ったようで、真新しい壁紙とフローリングの輝きが少々羨ましい。

リビングに置かれた大型テレビと古い洋画のポスターが、映画好きのカップルらしかった。きっとネットフリックスもディズニープラスも、サブスクは沢山契約しているに違いない。

「小沼《こぬま》君は？」

「ロケで出張。来週まで帰れないって」

ソファを勧められたので、そちらに腰を下ろす。

湊はカウンターキッチンに向かった。

一月に電話で話した時点で、板橋《いたばし》のアパートから引っ越すつもりだとは聞いていたのである。しかしまさか、『パレス練馬』に越してきてしまうとは思わなかった。

「まあ理由って言っても、大したものじゃないんだけど。あれから周《しゅう》と不動産屋に行ってさ、お互いの職場に通いやすいとこで物件紹介してって言ったら、偶然ここに案内されたわけ」

「びっくりするよねそれは」

「思わず二度見しちゃったさー。さすがに五階じゃなかったけど、立地や日当たりが抜群にいいのは知ってたし、周りにどんなお店があるかも把握済みだから、そのまんま決めちゃった」

すごい偶然もあるものである。

「まもりが驚く顔も見たかったしね」

いたずらっぽく笑う湊に、まもりもつられて笑った。充分なサプライズだ。

「上の階の涼子《りようこ》ちゃんとは、交流あるの？」

「うん。かなり仕事忙しそうだから、エントランスで会ったら挨拶するぐらいだけど。かっこいい人だよね」

「でしょ？」

涼子はまもりの従姉妹《いとこ》で、今はまもりと入れ替わりに五〇三号室に住んでいる。これが意外と突飛な性格だったり、葉二に死ぬほど怖がられていたりするのだが、それはまたいずれ語ろうと思う。

ついでに五〇二号室にいた後輩男子、福武夏癸《ふくたけなつき》のことも聞いてみたが、そちらはあいにく知らないと言われてしまった。今あそこに入居しているのは、落ち着いた会社員風の中年男性だという。

「そっか……たぶんもう卒業して社会人だろうしね。引っ越しててておかしくないか」

「ちょっとー、まもりサン。そんな名残惜しい顔していいの？」

にやりと笑われ、まもりは慌てた。

「気にしてたって旦那にチクるよー？」

「み、湊ちゃん。そんなんじゃないよ。ただ、色々相談受けたし、ちゃんとご飯食べてるといいなって思って」

「冗談だって冗談。あんたが亜潟さんに死ぬほど一途《いちず》なのは、学生の頃から私が一番よく知ってるもの」

「あのねー……」

「実際偉いよまもりは。大学一年の頃から片想《かたおも》いでがんばって、両想いになっても相手関西行っちゃうし。それで遠距離で就活して、迷わず結婚までしたわけでしょ？　で、今度はおめでた&出産。こんな一途でよそ見しない奥さんいないよ？　ほんと幸せ者だよね園芸ジャージ」

キッチンの吊《つ》り戸棚を開けながら、湊はとうとうと語る。

しかしどうだろう。多少の皮肉が入っていることを差し引いても、素直にうなずけない自分がいた。

一途でよそ見しない、立派な奥さん。幸せ者の旦那さん。本当に彼女が言う通りなら、今自分は、『こんなこと』で悩んでいたりはしないと思うのだ。

「あのさ、湊ちゃん。実は──」

「って、ちょっと待ってまもり！　私ってば今、普通にお茶淹《い》れようとしちゃったんだけど。もしかしてカフェイン駄目？　妊婦さんには良くないんだよね!?」

湊はフォートナム＆メイソンの紅茶缶を手に持って、愕然《がくぜん》とした顔をしている。

「……あー、うん。控えろとは言われてるけど」

「だよねだよね」

「でもまったく駄目ってわけじゃなくてね」

ストレスをためない程度に、少量楽しむぐらいは認められているのである。

しかし湊は、控えた方がいいの一言で、もう終わりだと思ってしまったようだ。

「アホだー。紅茶がNGなら、あとはペットのアイスコーヒー──これも駄目だ、めっちゃカフェインだ。もう缶ビールしかないよ最低さーこの冷蔵庫！」

「そんな無理しないで湊ちゃん」

このままでは冷蔵庫を罵るどころか部屋を飛び出して、納得できるノンカフェイン飲料を買い占めてきそうな勢いである。

「それじゃさ、かわりに行きたいお店あるんだけど」

「……どこ？」

まもりは微笑《ほほえ》んだ。

「すごくいいとこ」


そのお店は、『パレス練馬』から少々歩いた、練馬の住宅街の中にある。

広い敷地《しきち》に造園用の植木から、一般向けの花や野菜の苗、観葉植物にいたるまで多種多様に取り扱っており、二十三区では指折りの大型園芸店だ。

名前は六本木園芸《ろっぽんぎえんげい》。

敷地の中には直営のカフェもあり、まもりは園芸部門ともども、何度もお世話になったのである。

「あそこって確かデカフェのコーヒーとか、ノンカフェインのお茶も充実してたと思うんだよね」

「なるほど、その手があったか」

住宅街の一本道を並んで歩きながら、湊がうなずく。

「湊ちゃんは、六本木園芸に行ったりする？」

「うーん、たまにねー。志織《しおり》さんがやってるお店だっていうから、本読みたい時にカフェだけ使ったりしてる。なんせほら、周はそのへん興味ない奴だし、私もそこまで園芸得意じゃないから。ごめんね」

「別に謝ることじゃないと思うけど」

思えばまもりたちの結婚式で、志織と湊は同じテーブルだった。細々とはいえ、縁がまだ切れていないのは嬉《うれ》しいことだ。

「単純にわたしがさ、志織さんに会いたいだけなんだよね。久しぶりだから」

「いいんじゃない？　喜ぶよ」

駐車場側から中に入ると、まず目に入るのが大きなケヤキの木だ。恐らくは店ができる前からそこにある、見上げるほどの巨木である。そこから洋館風のカフェ『AGRI』や鉄筋コンクリート製の本店ビルにいたるまで、施設の庭木と売り物の鉢や苗木がなんの区別もなくごく自然に並べられているのが、六本木園芸流だ。

咲き乱れる花の間を蜜に誘われた蝶《ちょう》や蜜蜂が飛び交い、ここが都内の住宅街であることを一瞬忘れそうな、いつ来ても不思議な気持ちになる場所だった。

湊と一緒につる薔薇《ばら》のアーチをくぐると、その先で白シャツの巨漢がサルビアの苗に水をまいているのが見えて嬉しくなった。

「すみません、ちょっといいですか」

「はあい、なんでしょう――」

まもりの呼びかけに、志織が営業モードで振り返る。一瞬『グリーンわたぬき』の綿貫《わたぬき》幹太《かんた》の顔がかぶるが、やっぱり違う。

「こんにちは」

「……え、ちょっと待って。まもりちゃん？　本物？」

「はい。お久しぶりです志織さん」

「うっそヤダヤダ、言ってよもうー！」

その志織はホースの水が止まる勢いで、盛大に身をよじった。相棒猫のバイオレットが、たまらず肩から飛び降りてしまうほどだった。

彼こそは愛とうるおいを届ける緑の伝道者、ここ六本木園芸の店長、六本木志織なのである。乙女チックな詰問に、まもりは「ごめんなさい」と詫《わ》びるしかなかった。

「ご無沙汰にもほどがあるわ。ますます綺麗《きれい》になっちゃって、まーどうしましょう。亜潟ちゃんはどこ？　一緒に来てるんでしょ？」

「あ、いえ、彼は神戸なんです」

「あらま、仕事？」

「実は昨日から里帰りで、産婦人科の診察を受けてきたところで」

言いながらお腹《なか》に手をあてると、志織はますます目を見開いた。

「……いるの？　ベビーが？」

まもりは、気恥ずかしさを抑えてうなずく。

「亜潟ちゃんの子よね。ていうかそれ以外ないわよね。やばいわ、ハラショーおめでたすぎじゃないのお！」

「泣かないでよ志織さん」

「ほんぐあー」

もはや人語にならない勢いで、まもりを抱きしめ号泣してくれた。

これだけ喜んでくれる人だから、まもりも葉二も志織のことが大好きなのである。

「ほんとに、体大事にして元気な子産んでね。二人のベビーなら絶対超美形よ」

「……いやあ、どうなんでしょう」

苦笑してごまかすしかなかった。

あらためてその、マッチョな筋肉に包まれた巨体と向き合う。

「志織さんには、できればちゃんとご報告がしたくて。会えてよかったです」

「アタシこそ俄然《がぜん》楽しみができちゃったわ。うふ」

「この後は、湊ちゃんと『AGRI』でお茶する予定なんですよ。ね？」

「あ、はい。ここのカフェって、コーヒーや紅茶以外のハーブティーとかも扱ってましたよね？　まもり向けかと思って」

湊が言葉を継いで質問すると、志織は赤い鼻のまま真面目な顔つきになった。

「んー。ハーブティーはねえ……妊婦さんが飲むとなると、けっこう気を使うわよ？」

「え、駄目なんですか？　カフェインレスで、美容にいいとか体に優しいイメージあるんですけど」

「ハーブって、ようするに薬草で生薬だから。ちょっと二人とも、よかったらこっち来てくれる？」

志織は湊に説明するつもりか、手招きして歩き出した。

行き先は、同じ屋外売り場のハーブ苗コーナーだ。

「ハーブの効能は色々とあって、湊ちゃんが言うように美容やダイエットを気にする方が好んで飲む傾向があるけど、その中に妊娠中は避けた方がいい品もあるってこと。たとえばほら、このレモングラスとか、ローズマリー」

「あ、名前は聞いたことあるかも」

「そう？　じゃこれは？」

　続けて隣の鉢植えコーナーに移動する。

「これはクスノキ科のニッケイ。別名ニッキとも言うわね。ニッキ飴《あめ》って知ってるかしら。この樹皮を乾燥させると、アップルパイにぴったりのシナモンになるわ」

『肉桂《にっけい》』と書かれた、常緑樹の鉢を手に取った。まもりも初めて見る木だ。つるりと光沢のある、長い楕円《だえん》の葉が特徴的だった。

「で、こっちの丸い葉っぱが可愛い鉢植えは、モクセイ科のジャスミン。茉莉花茶って言って、中国茶によく入っているわね」

　ジャスミンの開花時期は夏で、もう少しすればクチナシに似た芳香の白い花が咲きこぼれるらしい。早咲きの蕾が一部にできはじめていた。

「レモングラス、ローズマリー、ニッケイにジャスミン。今アタシが言ったのは、どれも子宮の収縮作用があるから、妊婦さんには勧められない」

「レモングラス好きなんですけどねー、ココナッツカレーに合うから」

「今はがまんよ、まもりちゃん」

　まもりのぼやきに、志織が慰めの言葉をくれた。

　しかし、さすがは六本木園芸だ。ちょっと近くを見回しただけで、これだけ禁忌の実例が揃《そろ》うとは。

肉桂ことシナモンの木は、マニアックで葉二も関心を示すかもしれないと少し思った。

「もちろん母体を楽にするハーブも沢山あるし、そういうのは薬が飲めない時の助けになったり、香りでリラックスするのにうってつけだったりするけどね。ちゃんと専門家に相談して、安全を確認してから飲んでほしいのよ」

「そうなんですね……適当なこと言ってすみませんでした」

「湊ちゃん、わたしは湊ちゃんの気持ちがすっごい嬉しいよ。どうもありがとう」

「まもりちゃんがわかってるなら、いいんだけど。とりあえずルイボスティーはどう？『AGRI』なら何種類か置いてあったはずよ」

「はい、そうします」

志織の言葉に甘え、カフェに移ってからは、お勧めのルイボスティーを注文した。

ルイボスティーは、南アフリカ原産のマメ科の植物から作られるお茶だ。ノンカフェインで癖も比較的少なく、妊娠中でも安心して呑《の》める飲み物として定番の一つである。

カフェの責任者である六本木薫《かおる》も、元気そうだった。

まもりの近況を話したら、やはりルイボスティーや、製造工程でカフェインを抜いた、デカフェのコーヒーを勧められた。湊は季節限定のさくらんぼ紅茶を頼み、好きだったシフォンケーキはマストなので、二人ともセットで注文した。

「そうだ。今日は北斗《ほくと》君、シフト入ってないんですか？」

「あいつはほら。就活でバタバタしてるから休ませてます」

ああ、なるほど。

亜潟北斗を高一から面倒見ている薫は、もうすでに親御さんのような顔をしている。確かに今は就職試験の真っ最中のはずで、大変だった自分の就活を振り返り、青年にエールの念を送ってみた。

注文の品が届くと、まもりはお茶を一口飲み、そのあまりの風味の良さに目を見張った。

「あ……このルイボスティー、すごいおいしい」

「そうなの？　なんか違うの」

「うん。すっきりしてレモンのいい匂い……ああ、グリーンルイボスにレモンピールで香りがついてるんだ」

思わずメニューの解説を読み直し、納得する。

一般的なルイボスティーは、紅茶と同じように茶葉の成分を酸化させて作る発酵茶だ。そのため煮出した色も、紅茶に似た澄んだ赤い色をしている。しかしグリーンルイボスの場合は酸化の過程を挟まず、緑茶と同じような作り方をしている非発酵茶だった。味わいもすっきりさっぱり、緑色のお茶になる。ここに香料ではなく、乾燥させたレモンの皮で香り付けがしてあるのがみそらしい。

果汁は入っていないので酸味はないが、フレッシュな柑橘《かんきつ》の香りで風が抜けるようなさわやかさがある。

「あー……ほんとおいしい。お茶の持ち帰りないかな。家でも淹れて飲みたい……」

「そんなに気に入ったんだ」

「飲めるものが限られてると、『当たり』は貴重なんだよー」

どうかレジのお土産コーナーに、茶葉が売っていることを祈る。

もしない時は、グリーンルイボスのティーバッグに、干した柑橘の皮でいけるだろうか。ついつい身近な植物での代用方法を考えてしまうあたり、葉二の思考に毒されているかもしれなかった。

「そうか……まもりだって色々制限あって、がんばってるんだよね。私は疎くて駄目だなー。一応先生なのに」

「予定ないなら、誰だってそんなものだよ」

「そうも言ってられないさー。私じゃなくても、生徒がそうなる可能性だってあるんだから」

おお。それはなかなかハードなお仕事だ。

都内で国語の教師をしているという、湊の仕事ぶりを想像する。きっと生徒思いの先生だと思うのだ。

「あのさ、湊ちゃん。ちょっとわたしの悩みを聞いてくれる？」

「――ん、どうしたの？」

湊の目が、すでに相談を聞く体勢の目になった。大好きだ湊ちゃん先生。

「この間ね、健診でお腹の子の性別がわかったんだよ」

「うん、それで？」

「どうも男の子みたいなんだ」

テーブルの会話が、そこでいったん途切れた。周囲の客の軽やかな笑い声が、急に大きくなって聞こえてくる。

「……まもりはそれが嫌なの？　女の子が欲しかった？」

「いや、そういうわけじゃないの！　どっちだろうが可愛《かわい》いだろうし、愛す自信はあるの！　ただね、ただね、ただね」

仕方ない。確かな証拠を見せなければ、湊も実際のところはわかってくれないだろう。

まもりは覚悟を決めて、自分のスマホのフォルダを開いた。

テーブルの上で手招きをして、湊にも見てもらう。

「これは結婚式の時に撮った、親族写真。この真ん中にいるのが、葉二さんね」

「うん、見たけどイケメンよね。顔だけは」

「こっちが香一《こういち》さん。葉二さんのお兄さん」

「うわ似てる」

「隣がお姉さんの瑠璃子《るりこ》さんで、一人息子の北斗君」

「なにこれ。クローン？」

「葉二さんのお父さんの辰巳《たつみ》さん」

「年取った亜潟さん？」

「結婚式で初めて会ったけど、辰巳さんの弟さんとその息子さん」

「あー……」

だんだん湊が無口になるのがわかった。あまりにそっくりすぎて言葉もないのだろう。

「ごめんまもり。言ってもいい？　きもちわるい」

「だよねだよね、そう思っちゃっても仕方ないよね⁉」

一枚の写真におさまったものをあらためて見直して、痛感したのだ。

とにかく『亜潟顔遺伝子』というものが存在するらしく、女子においてもその影響は顕著に感じられるが、わかりやすいのは男子だ。ほぼそっくり同じ顔が年代別に製造されている感じで、配偶者の影響はいっさい表に出てこないのである。

「これからどんな子に育つかなーって、色々期待してシミュレーションとかしてみるんだけど、もう答えの現物が七十代まで出揃《でそろ》ってると思うとさ……」

「まあ、萎えはするよね。いくら物は良くても……」

「そう。お品自体に不満はないんだけど……」

まるでオチがわかっている小説のような寂しさを感じてしまうのは、贅沢《ぜいたく》な悩みなのかもしれない。

「まもり、これ亜潟さんに話したの？」

「話せないよ。言えるわけないでしょう」

「だよねー……」

葉二自身は男だとわかって、特に屈託もなく名前など考え始めているからなおさらだ。

彼にしてみれば、物心ついた時から同じ顔の人間に囲まれて暮らしているのだ。まもりがこんなところでまごついていることなど、想像もしないのかもしれない。

お互い渋い顔で茶をすすり、甘いケーキを口にはこんだ。まったくどうしたものかと思う。

「とりあえずさ――」

シフォンケーキを食べ終えた湊が、おもむろにデザートフォークを皿に置いた。

「産まれてくる子が亜潟顔っていうのは、もう変えようがない。そこは天命として受けいれよう」

「うん」

いったいわたしたちは、なんの話をしているのだろうと思う。

「ただねまもり、考えようによってはチャンスだよ。ご面相があのイケメンなら、普通に考えてメリットはかなり大きい。人より人生イージーモードが約束されてるのは、喜ばしいことだと思うの」

「そ、そう？　そうなのかな」

「ただしどんなイケメンだろうと、中身まで保証はされないわ。あの毒舌園芸ジャージがいい例よね。むしろイケメンを鼻にかけたり、変なところでポッキリ折れてねじ曲がったりしやすいから、温かく見守って育てるのが教育の役割であり力だと私は思う！」

具志堅湊、二十五歳昼下がりの主張であった。

彼女は強くまもりの手を握った。

「まもり、あなたの出番だから。子供はあなたの手を必要としてる。たとえ顔のパーツがみんな亜潟側の遺伝子に吸い取られていたとしてもよ」

「……なんでしょう。教育者の発言としてはアウト寄りな気がする上に、妻としても同意しちゃいけないと思うのに、今すごくすっきりしてる……」

「建前抜きで話してるからね」

だからこんなに胸に響くのか。

身も蓋もない悩みや不安につきあってくれて、身も蓋もない結論をそのまま出してくれる。そういうのは恋人や配偶者よりも、気心の知れた女友達なのかもしれない。

「ありがとうね、湊ちゃん。こんなの葉二さんに言えないから、ずっともやもやしてたんだ」

「いやまもり、それ悩んで当然だよ。あんたは正常」

本当に、感謝の気持ちでいっぱいだった。

つないでいた手を離すと、湊はテーブルに頬杖《ほおづえ》をついた。

「私はさー、今んところ特に結婚するつもりも、その先の予定も全然ないけどさ。それでちゃんと先進んでるまもりが、なんかまぶしくて焦ったりもするけど」

独り言を呟《つぶや》くように彼女は言う。

「んでも私は私だし、まもりはまもりでしょう？　まもりのことは好きだから、話は聞きたいと思うんだよね。だから……言ってくれてありがとう。かな」

まもりと目が合って、ただはにかむように微笑《ほほえ》んだ。普通に軽く言って見せてはいるが、湊のやわらかい本音に触れたような気がした。

自分とは違う道を歩いている友人を、まぶしく思ったり比べて不安に思ったりするのは、まもりも一緒だ。仕事も中途半端なのに、産休や育休までもらって大丈夫なのか。むしろ道草しないでやりたい道を邁進《まいしん》しているように見える湊まで、同じように思っているとは思わなかった。

「わたしも好きだよ、湊ちゃん。ありがと」

てらいなく言える言葉があった。

あなたの幸せを願い、その不安や喜びを分かち合いたい。たとえ遠く離れていても、この思いが変わることはないだろう。大事な大事な友として。

ありがたいことに、精算先のレジ脇には、その日飲んだお茶の茶葉が置いてあった。

（ハラショー！）

まもりは賭けに勝ったのである。在庫分買い占める勢いで、ルイボスティーをレジに積み上げた。

「……まもり。めちゃくちゃバッグ膨らんでるんだけど」

「いいの。これで臨月まで保《も》たせるから……」

後悔があるなら、エコバッグを持ってこなかったことぐらいだ。

膨らんでパンパンのトートバッグは非常に格好悪いが、これは幸せなパンパンである。

家でも今日のティータイムが再現できるのである。

店を出て、最後に志織のところに挨拶をしてから帰ろうという話になった。

商品である植木の間を歩いていくと、ふっとかぐわしい香りが鼻孔をくすぐった。

「まもり？」

「なんかね、今すごくいい匂いが──」

なんだろう。わたしはこういうものに非常に弱い。すごく弱い。思わずくんくんと鼻をひくつかせて、匂いのもとをたどってしまう。

候補はちょうど今通り過ぎた、薔薇《ばら》のコーナーである。

春薔薇の開花時期も、まさに五月の今から六月の初頭にかけてで、六本木園芸としてもかなり力を入れているようだ。卓上サイズのミニ薔薇の鉢から大輪のオールドローズの苗木まで、多種多様に取りそろえていて非常に目をひいた。

「どれだ――あ、この花だ」

いくつかの薔薇に顔を近づけてみたら、当たりはすぐにわかった。

これだ。数ある中で一つだけ、とてもはっきりした芳香の株がある。黄色をベースに白のグラデーションが入り、濃いピンクの縁取りがついた可愛らしい花弁。これらが形良く重なり合う大輪の薔薇の、なんとキュートでお洒落《しゃれ》なことか！

「まもり、薔薇好きだよね」

「うん。わりと好きな方かも」

家にもマロンという品種の薔薇があるが、あちらは全体にオータムカラーというか、くすみピンクが大人可愛くて気に入っているのである。

「この子はマロンとは、別方向の可愛さだなー。というか匂いが好みなんだけど」

あらためて嗅いでも、いい香りだ。熟成された上品な甘さ。系統としては、上等のレモンティーか？

「あらまもりちゃん。そのお花、気にいった？」

腰をかがめて花に顔を近づけていたら、店長の志織が後ろを通りがかった。

「志織さん」

「綺麗《きれい》な品種ですよね。それにとってもいい香りで」

「そうそう。これだけある中でミツコに目をつけるとは、さすがお目が高いわねまもりちゃん」

「ぶっ」

噴いた。思わず。

「どうかした？」

「……いえ。ちょっとその、実家の母と同じ名前なもので……」

一気にイメージが、台所のママンになってしまったではないか。台無しだ。

「そうお？　とっても由緒あるお名前なのよ。由来はフランスの香水ブランド『ゲラン』から」

「香水の名前なんですか？」

「そ」

ウインクする志織いわく、香水として発表された『ミツコ』の方は、二十世紀初頭にフランス人作家ファレールが書いた小説に登場する、とある日本人女性をイメージして作られているそうだ。

柑橘《かんきつ》系のベルガモットに、ローズやジャスミンが混ざった香りと言われると、確かにこの薔薇の印象にぴったりだと思う。

「ゲランの『ミツコ』はね、日本海軍将校夫人がモデルなだけあって、オリエンタルで凛々《りり》しい上品なマダムの香りよ」

「なるほど──……」

「真の大人の女性にふさわしい。憧れちゃうわ」

そうなると、むしろ母親世代向けなのかもしれない。

これから出産関係で色々とお世話になるつもりだし、なのになんのお礼もできていないのは、まもりとしても気になっていたのだ。

あらためて周りを見回せば、薔薇以外にもカーネーションの鉢が多く売り場に出ていて、そこには『母の日』の札が沢山刺さっている。

まずはここから始めるのもいいかもしれない。

「薔薇の品種としても、香りの良さは折り紙付き。大輪だけどコンパクトなブッシュタイプで、鉢植えにも向いてるわ。四季咲きでいつでもお花が楽しめるの」

「よし。志織さん、わたしこれ買います」

「え」

ウンチクとセールストークをとうとうと語っていた志織だが、本当に買うとは思っていなかったようだ。かなり驚いた顔をしていた。

しかしまもりは決めたので、コンクリートの地面に置かれていた薔薇鉢を、よいしょと持ち上げた。

（おっとっと）

高いところに大輪の花がついているので、持ち方によってはぐらぐら揺れるが、これが駄目になってもまだまだ蕾《つぼみ》がついている。思ったよりも長く楽しめそうだ。

「なにまもり。本気で買うの？　ここ練馬だよ？　神戸まで持ってくの？」

「そうじゃなくて、川崎の母にプレゼントしようかなと。もうじきほら、母の日だし。ねえ志織さん、すみませんけど、これを電車に乗れるよう包んでもらうことってできますか？」

「アウトオオオオ！」

鉢を持ったまま隣の志織に聞いてみたら、めちゃくちゃ叱られた。久しぶりの『志織アウト宣言』だった。

「アウト！　アウト！　アーウト！」

「聞いてますって」

「そんなパンパンの鞄《かばん》持って、さらに薔薇の苗持って電車乗る気？　だめよだめだめ危ないから」

「でも母の日……」

「このアタシが責任もって梱包《こんぽう》して、ちょうど母の日ジャストに届くよう発送するから！　そっちの方がいいでしょ？　お願いぅんと言って！」

「……わかりました」

「カードとリボンもつけちゃう！」

けっきょく。懇願する志織の言葉に甘え、店内で発送伝票を書いて、当日川崎まで送ってもらうことになった。店を出る時は、「元気な亜潟ベビーを産むのよおー」と、ハンカチを振って見送られてしまった。

「──なんか思ってたよりも、大げさになっちゃったな」

練馬駅への道のりを歩きながら、まもりはぼやいた。

こちらで暮らしていた時はもちろん、神戸に引っ越してからも、園芸店で気に入った鉢や苗があった時は自力搬送してきたのである。たかだか電車で一時間ぐらい、がまんできないこともない大きさだと思ったのだが。

「いいんじゃないの？　当日届けてくれるって言うんだから。その方が面倒がないでしょ」

「まあそれはそうなんだけどね……」

「私も那覇《なは》の母上に、なんか送った方がいいのかなー。花よりは団子のタイプだけど」

話しているうちに、駅の入り口までやってきた。

「まもり、西武《せいぶ》線で帰るの？」

「ううん。今日は副都心《ふくとしん》線。地下鉄だよ」

「じゃあここでお別れだね」

地下へと降りる階段の前で、湊と別れた。

彼女は地上からずっと手を振ってくれ、階段を降りるまもりは、振り返るたび湊がまだそこにいることに気づいて、笑いながら手を振り返した。

「また電話するからさ」

「うん。湊ちゃんも、なんかあったら話してね――っと」

「まもり、あぶな！」

その瞬間、世界が、視界が大きく揺れた。スローモーションで天井が見えた。

地上の湊を見ながらほぼ後ろ向きに階段を降りていたまもりは、最後の数段を派手に踏み外して転倒、尻餅をついてしまった。

「………び、び、びっくりした……」

「まあああもおおりいいいっ！」

まもりが踊り場で呆然《ぼうぜん》とする中、湊が絶叫しながら階段を駆け下りてくる。

「大丈夫!? 生きてる!?」

「あ、うん大丈夫。思ったよりも痛くないというか……」

この尻の衝撃を受け止めた感触は、もしかしなくてもルイボスティーの茶葉だろうか。やはりそうだ。まさかこんな形でパンパンの鞄が、エアバッグの役割をはたすとは思わなかった。

「だからもー、足下見ないと危ないんだよ。とりあえずどうしよ、かかりつけの産婦人科に連絡した方がいいよね。タクシーより救急車の方が早いかな」

「いや大丈夫、そんな話じゃないから!」

必死に手をのばした。昨日初めて受診して、今日は転倒でかつぎこまれるなど恥ずかしすぎる。

「でもお腹《なか》の子はどうだかわからないでしょ、階段落ちたんだよ」

「このルイボスを見て!」

「茶葉が何さー」

今にも一一九番を押しだしそうな湊を、大丈夫だからと説得するのは大変だった。

トートバッグのルイボスティーが、転倒の衝撃を吸収したこと。今は安定期で、体調も比較的安定していること。このあたりを重点的に説明し、もし万が一にも出血のような異常があった時は、必ず実家近くのクリニックにかかると約束して、なんとか解放してもらったのである。

一人地下鉄の優先席に揺られながら、まもりは少しだけため息をついた。

(妊婦ってタイヘン……)

思っていた方向とは、ちょっと、いやだいぶ違うけれど。

＊＊＊

一方その頃。

栗坂《くりさか》みつこが産直のホタテとウニを神戸の娘夫婦に送ったところ、翌日になって『届いた』と連絡がきた。電話をしてきたのは、娘婿の亜潟葉二だった。

『大変けっこうなものを、どうもありがとうございます、お義母《かあ》さん』

みつこにはわかる。スマホの向こうの婿殿は、慇懃《いんぎん》無礼《ぶれい》な笑みを浮かべているに違いない。どうにも人を食ったところがあるのだ、昔から。

「大げさね。私の実家が北海道《ほっかいどう》なのよ。本当にちょっとだけだったでしょ」

『時期物じゃないですか。ありがたくいただきます』

量が少ないことは否定しないのか、この男。

うまく不意をついて揺さぶってやれば、もう少し人間味が出てくるのだが、敵もそうそう尻尾をつかませない。トータルで言えば戦歴は負けがこんでおり、みつこは悔しい思いを続けていた。

とにかく弱みを見せたらおしまいである。母として姑《しゅうとめ》として、毅然《きぜん》とした態度を貫くのだ栗坂みつこ。

「ホタテは二人で食べなさい。天ぷらでもフライでもなんでもおいしいから。ウニはまりには内緒にしてあるから、あの子がこっちいる間に食べちゃいなさいよ」

『俺にですか……?』

「あの子がいる前じゃ、生のお刺身で晩酌とかしづらいでしょう。たまには羽を伸ばさないと」

『なんでそんなにいい人なんですか、お義母さん』

「はあ?」

何を言っているのだ、この婿殿は。

「勘違いしないでちょうだい。そっちで娘が辛《つら》い思いをしないように、親としての心配りみたいなものよ。そうつまりこれは袖の下！」

『自分でおっしゃるところが可愛《かわい》らしい』

脳みその血管が切れるかと思った。

（またなの？　また負けるの私は）

なぜこうなる。いいえまだよまだ。みつこはダイニングの椅子に腰をおろし、必死に己を鼓舞した。

婿へ反撃の一打を考える一方、表の玄関では、鍵が開く音がする。里帰り中の娘が、帰宅したようだ。

「まもりが帰ったみたい。それじゃあねっ」

「ただいま──って、どうしたのお母さん」

呑気《のんき》そうな顔の娘が、今は少し恨めしい。通話を終えたばかりのスマホを、テーブルに置いた。

「亜潟さんよ。本当にカンに障るわねあの人は」

「えー、そうなの？　何言ったのいったい」

言えるわけがないだろう。

「あのさ、前も言ったかもしれないけど、葉二さんああ見えてめちゃくちゃお母さんのこと好きだよ？　慕いまくりだよ？　わたしが時々むかつくぐらい」

「冗談は顔だけにしてちょうだい」

「なんか片想《かたおも》いだよねー。葉二さん可哀想《かわいそう》……」

意味がわからないことを、娘は訳知り顔に言っている。本当に理解不能だ。

もちろんまがりなりにもまもりが選んだ相手であり、決して悪人でないのはわかっている。しかし、それならいちいち人をおちょくるような言い方をやめればいいのだ。

まもりに言わせれば、それも葉二なりの親愛の情、らしいのだが——。

「お友達に会ってきたんでしょう？」

「そうそう。お母さん、良かったらお茶飲まない？　向こうで飲んでおいしかったの、沢山買ってきたんだ。ほら」

「……一個破裂してない？」

「あ、それはわたしとお腹の子を救った、命の恩人茶だ。早く開けちゃった方がいいね」

「今なんて言ったのあなた」

「あはは」

笑うなというのだ。

まもりはヤカンでお湯をわかし始めた。

小さな頃からうっかり屋の呑気者で、ちょっと前までずぼらを叱られてばかりの娘だったのに、大学で一人暮らしを挟んだ上、そのまま結婚して関西に嫁いでしまった。まるで急な坂道を転がるような速度と勢いだった。

この秋には、子供が産まれる。あの亜潟葉二との子である。みつこと勝《まさる》にとっては、待望の初孫だ。

「そうだお母さん。今度の日曜日は、絶対家にいてね」

「どうして？」

「それはほらー、母の日だから。期待してて一」

ガス台の前に立ち、意味ありげに目を細めている。

知らないうちに大人のふるまいすら見せるようになった娘の、成長に一役買ってきたのもまた葉二なのだろう。泣いて笑って、怒って喜んで。本当に数多くの感情を捧《ささ》げて。遠くで様子をうかがってきたみつこは、よくわかっている。だからこちらは折に触れて神戸まで、『袖の下』を送ったりもするのである。

「まもり、いいわ。座ってなさい。この後はお母さんがするから」

「そう？　ありがとう」

身重の娘を椅子に座らせ、みつこはかわりに二人分のお茶の支度をはじめた。

きっとこれからもこの子と慇懃無礼な婿殿は、互いに迷惑をかけ合いながら暮らしていくのだろう。『楽しく生活する』と、式の席で約束させたのだ。ええそうでなければ許さないのだ。

＊＊＊

実家で一晩様子を見て、幸い体に異常はなかったので、そのまま品川から新幹線で西へ帰った。

駅には葉二が迎えにきてくれるとのことなので、新神戸駅《しんこうべえき》到着と同時に荷物を持って、駅前のロータリーに向かった。

まもり『ついたよー』

しばらくすると、見知った銀の乗用車が坂を上がって走ってきた。

ちなみに神戸に越して来てから、葉二は一度車を買い替えている。こちらは練馬の時から数えて、二代目のマイカーだ。ミドルサイズのＳＵＶで、山手《やまて》のどんなアップダウンにも負けないのはありがたい。

「やっほう葉二さん。ただいまー」

「——階段でこけたんだって？」

その助手席のドアを開けたとたん、開口一番、ドスのきいた声で言われた。

ぎぎぎと回れ右して逃げたくなっても、仕方ないだろう。

「……な、なぜそれを」

「沖縄《おきなわ》出身友人Aが教えてくれた」

葉二は冷ややかな眼差《まなざ》しと口調で、スマホのトーク画面を見せてくる。

(そうか。この二人、結婚式サプライズの打ち合わせで、直通ルートを確保してたわ！)

つまりいつでもチクリ可能。ぬかったぜと思った。

「いいから早く乗れ。ほんと鈍くさいな」

「ううう……」

絶対これは走る鉄の箱の中で、みっちりマンツーマンでお説教コースだ。

小さくなりながら助手席に乗り込み、シートベルトをしめた。

葉二は黙って車を発進させた。

「まもりは絶対甘くみてるだろうから、よく注意してくれって言われたわ」

「……でもさあ、ほんとに大丈夫だったんだよ。見た目よりは、ダメージとか全然なかったの」

「単に運がよかっただけなのを威張るな」

ぴしゃりと切って捨てられた。容赦なし。

情けなくて少し泣きたくなった。

「……ごめんなさい」

「何に謝ってるんだよ」

「葉二さんとわたしの赤ちゃん、危ない目にあわせました」

わたしだ。わたしのせいだ。

「バカ。そうじゃなくて、まずはまもりだろ。おまえが無事じゃなきゃ、なんの意味もねえよ俺は」

言葉づかいは非常に乱暴であったが、そこには葉二の想《おも》いが嘘《うそ》偽りなくのっているのは理解できた。それぐらいは、この人とのつきあいも長いのである。

別の意味で泣きたくなった。

甘えるのもいけないので、こっそり目尻を袖でぬぐった。

「うん。そうだよね。気をつける」

「しかし……本気で階段関係は怖いな。やっぱ早いとこ家見つけた方がいいんじゃないか？」

「外階段の件？」

「そう。毎日使うもんなのによ」

最近の葉二は、よく引っ越しの話をする。

家を買うだの建てるだの、ふわふわした与太話かと思っていたが、今回の件で『六甲壱番館』が階段のみなことも、脱出理由に加わってしまったかもしれない。

部屋自体は二階なので、それほど不便に思ったことはないが、この先エレベーターがなくて後悔したりもするのだろうか。たとえばベビーカーが下ろせないとか？

「……そう言っても、具体的にどうするんですか？　別の賃貸マンションにでも引っ越しますか？」

「それも家賃の無駄くさいよな。次越す時は、買う時にしたかったんだが」

「土地から探して家建てるとか、何年もかかるし、お金もすごいって言いますよ」

このあたりは全て、会社で建てたことがある人たちからの受け売りだが。

「分譲のマンションか建て売りで、いいの見つかるといいんですけど」

「今より不便なとこは勘弁だよな」

言い出しっぺの葉二がそう思ってくれるのは、まもりとしてもほっとした。

現住所は阪急《はんきゅう》の六甲駅《ろっこうえき》とJRの六甲道駅《ろっこうみちえき》の、二路線使用可能。近くに商店街もあり、葉二の職場の北野《きたの》や三宮《さんのみや》、まもりの職場の梅田にも、まあまあ出ていきやすい。しかし葉二のことだから、へたをすると野菜と畑への愛に引きずられて、とんでもない田舎を選択しかねないと思っていたのだ。

(そうなったら泣いて反対するしかないと思ってたよ)

ごめんよダーリン。

それからあれこれ意見を出しあったが、時間に予算に利便の問題と、どれもあちらを立てればこちらが立たずといった感じで、すぐには結論が出なかった。

なんにしろ、大きなお買い物なのだ。そうそう簡単に決まってたまるかとも思う。

「まあほら、おいおい考えていきましょうよ。今度一緒にモデルルームでも、冷やかしにいってみます?」

噂《うわさ》によるとあそこの受付で名前を書くと、営業さんにつかまって大変だというが、本当だろうか。

「……なあ、まもり」

こちらが笑って話を締めくくろうとしたら、葉二が神妙な声を出した。

気づけば車は住宅街に入ってきており、まもりたちのマンションまであと少しだ。なのに葉二は車を減速させ、そのまま路肩に停車させてしまった。

「たとえばあの家なんだが」

ハンドルを握ったまま、斜め向かいの戸建てを指さす。

坂の途中の一軒家だ。最近よく見る狭小住宅の新築と違い、二階建ての建物以外に、庭やカースペースにも余裕がある造りをしている。まもりも駅や買い物に行く途中、柵越しに見える薔薇やチューリップを楽しみにしていたものだ。しかし今はその花壇に花はなく、車も人の気配もなくてがらんとしていた。

入り口に『売り出し中』の看板がさがっている。

「あー……あのお家《うち》、売りに出しちゃったんだ……」

いい感じのお宅だったのにもったいないと、残念に思った。散歩のうるおいが。

「ああいう家を買うだろ？　で、リフォームだなんだで手を入れて住むってプランは、まだ出てきてなかったよな」

まもりは、暗い車内で息をのんだ。

——中古住宅購入＋リノベーション。

確かに未検討だ。

この家にかぎって言えば、近隣の環境は把握ずみ。建て売りよりは自由度があり、注文住宅よりも時間とコストを抑えられるだろうという利点はあるが——。

「今からリフォーム始めて、おまえが実家帰ってる間に引っ越し作業まで終えて、赤ん坊と一緒に新しい家に帰れるようにすれば、合理的じゃないか？」

「だからそうやって、なんでもかんでもいっぺんにまとめようとするのやめましょうよお！」

何ひらめいたみたいな顔してる。片付きゃいいという問題でも、ないだろう。

思わず悲鳴をあげたまもりだが、葉二は微妙に車を前進させた。看板を凝視しながら、おもむろにスマホを手に取る。まさか、電話番号をひかえる気か？

（まじか）

思わず横で、自分の腹部を見つめてしまう。

出産予定日は、十月某日だ。よもやここからお家購入RTA《リアル・タイム・アタック》まで始める気か、亜潟葉二よ——。

その後の小話

チャンスがあるなら、それはやり時。どうこなすかは措《お》いておいて、とりあえず食いついておけ。

これは葉二《ようじ》が仕事をする上での指針というか、モットーの一つである。

海外のことわざにも『幸運の女神には前髪しかない』とある通り、ことが動き出すのは一見して突然な場合も多く、そこでひるまず波にのれるかが勝負の分かれ目であったりするのだ。

「――はい。それでは当日十一時に。はい、そちらにうかがいます。よろしくお願いします」

葉二は作業デスクで、通話を終えた。

ワークチェアを半回転させ、自宅マンション内の仕事部屋を出る。

「まもりー。内見の予約取れたぞー」

先日車の中で見かけた、中古物件の件だった。葉二が先に述べたモットーの通り、さっそく管理の看板を出していた不動産会社にアポを取り、中を見せてもらうことになったのだ。

まもりは例によっていきなりすぎるとゴチャゴチャ文句を垂れていたが、この時点では金も何もかからないぞと説得したところだ。これで次の休みは、彼女も連れて物件見学となった。

「おい。まもり？　どこいった？」

しかしリビングやベランダを見ても、葉二が好きな後ろ頭は見当たらず、首をひねって引き返したら、当のまもりが玄関から歩いてくるところだった。

「あ、葉二さん」

「通販か？」

彼女は大手通販会社のロゴが入った、段ボール箱を抱えている。

「そう。今、荷物受け取ったとこ」

「いったい何買ったんだよ」

「へっへっへ。それはね――」

まもりは荷物を持ってリビングに行き、ローテーブルの上で開封した。

通販会社ではありがちだが、外箱に比して中の商品はかなり小さい。

「これね、心音計！　赤ちゃんの心臓の音が聴ける機械！」

「エンジェル……？」

なんでも超音波で、胎児の心音を聴くのだという。

ご自宅のリラックスした状況で、いつでも気軽に心音を確認。録音して離れた家族に送ることもできる優れもの、ということらしい。

朴念仁と呼びたければ呼べ。玩具のような可愛《かわい》らしいデザインも相まって、最初に思った感想は『うさんくさい』だった。

「ちゃんとしたやつなのか……？」

「してるよ。プレママみんな持ってるもの」

教室のお友達がみんなゲーム持ってるもん、嘘じゃないもんと、理屈的には一緒だと思った。

「転んじゃった時にさ、やっぱりお腹《なか》の中がどうなってるか、赤ちゃん生きてるかって、心配もしたから。これがあれば健診前でも、様子が確認できるよね」

まもりは喋《しゃべ》りながらパッケージの箱を開け、いそいそと中の説明書を取り出している。

葉二は——本当に今頃になって、彼女の不安がおぼろに理解できた気がしたのだ。

彼女なりに例の転倒事件は、怖い思いをしたのだろう。当事者なのだから、当たり前だ。対策がこれでは少々ずれているように思うが、それでも少しでも不安を和らげたかったのかもしれない。

こちらもつい感情的になって、一方的に責めるような形になってしまったことを詫《わ》びたかった。

「……それじゃいっちょ、試してみるか」

今からでも寄り添うつもりで、とりあえずまもりの横に、腰をおろしてみる。

「えーっとね、まずは——」

説明書を声に出して読みはじめたまもりだが、あるところに来て急に言葉を詰まらせた。

「どうした？」

字が読めないのかと、質問しなくて良かった。言ったらぶたれていたに違いない。

「……動いた」

「は？」

「お腹。赤ちゃん。内側からぽこぽこーって今」

腹部をおさえるまもりの目が、輝いている。

いわゆる胎動というやつだろうか。

葉二もすぐには言葉が出てこなくて、とっさに自分の視界に落ちてきた前髪を、乱暴にかきあげた。

「──ったく、機械使うより前に自分から動くとは、空気が読めないやつだな」

「葉二さんそっくり」

こういうのもたぶん、幸福というのだろう。こんな自分にさえ降りかかってくる、絶対的な喜びだ。

土の中で種が密《ひそ》かに根を張り、見えないところで芽吹きの準備がはじまっているように、確実に新しい命は育ち続けているのだ。

（すげえよな）

ちなみに──直前に大ネタが炸裂《さくれつ》したせいで、すっかり影が薄くなった超音波心音計は、一回だけ計測されて納戸で埃《ほこり》をかぶることになる。まあよくあるパターンかもしれない。

二章　まもり、電撃的お家購入のススメ。

「それでは引き続いて、重要事項説明書の三ページ目をご覧ください――」

六月に入り、最初の土曜日。まもりは葉二《ようじ》とともに、神戸《こうべ》三宮《さんのみや》の不動産会社にいた。

空調のよく効いた会議室はブラインドも降りていて、駅近特有の喧騒《けんそう》も、来る時には降っていた雨の音も、いっさい聞こえてこない。ただ契約内容を読み合わせる営業担当の声だけが、淡々と響いている。

こばと不動産。一応、近畿圏ではそこそこ老舗の仲介業者らしい。

先月の頭に見かけた中古物件を管理している会社で、内見のアポを取ったところからあれよあれよと話が進み、ただいま本気の売買契約を取り交わそうとしていた。

（ほんとにねえ、早すぎません？）

ふざけてお家購入RTAなどと言ったが、なかなかいい記録が出ているのではないだろうか。

会議室には買い主であるまもりたちの他に、家を売る側の人も来ていた。永瀬《ながせ》と名乗る、恰幅《かっぷく》のいい壮年の男性だ。庭の手入れをしていた奥様はともかく、いつも駅に行く途中に見ていた家の持ち主に、今回初めて会った形だった。きっとこんなことでもなければ生涯会わずに終わっていたわけで、家のご縁というものについて考えてしまった。

『リタイアしてね、故郷に帰るのが夢だったんですよ。子供二人は、ここから巣立ちました。ご近所のお若い方に買ってもらえるなら、願ったりです』

一番初めの雑談で、永瀬は売却の理由などをそんな風に語っていた。今は夢だった早期退職を果たし、九州の温泉地に移住しているそうだ。

温泉。リタイア。それは実に羨ましい——まもりがぼんやり思っている間も、現実の契約作業は続いていた。慌てて目の前の話に集中する。

「買い主様は、こちらにご署名と捺印《なついん》を」

冊子状の不動産売買契約書が、スーツ姿の葉二のところに回ってきていた。すでに売る側である、永瀬の署名は済んでいる。

不動産会社が用意したのは、軸の光沢も美しい黒のボールペンだった。自社の高級ラインではなかったことを、文具メーカー勤務としては少々残念に思う。そして捺印に使う印鑑は、シャチハタではなく印鑑登録済みの実印だ。

横で手を動かす葉二が、小さくつばを飲み込んで椅子を引き直した。

（そりゃ、緊張するよね）

ここまで戦車かブルドーザーのように突き進んできて、葉二はどの段階でも平然としている感じだったが、彼とて大きな金額が動くことの重大さはわかっているだろう。一般的に住宅となれば一生に一度のお買い物で、何千万というローンの名義が葉二なのである。

——大丈夫。落ち着いていこう。

まもりはそんな気持ちをこめて、会議テーブルの見えないところで夫の太ももを軽く叩《たた》いた。

向こうは相変わらずのポーカーフェイスだったが、まばたきの回数が目に見えて減ったので、効果はあったものかと思われる。

残りの書類の記入と、手付金その他の支払いを終え、晴れて売買契約完了となった。

売主の永瀬は、不動産会社を出たらすぐに九州へとんぼ返りする予定らしい。「次は家の引き渡しですね」と言って別れた。

まもりたちは、傘をさして三《さん》ノ宮《みや》駅への道のりを歩いていく。

信号を待つ間も、青になって歩きだす間も、お互い妙に言葉少なだった。

「なんというか……」

「疲れたな……」

そうか。葉二もそう思うか。

こばと不動産の会議室に入る時、一回だけ時間を確認した。確か午後の四時だった。そして今、時計を見ると六時過ぎだ。その間、延々と契約書の細かい説明を聞いて、空欄に住所と名前を書いて判子を押しまくってきたのである。疲れもする。

「どうするまもり。このままそのへんの店に入って、夕飯にするって手もあるが……」

「いえ、そこは初志貫徹でいきましょう。お家《うち》には解凍済みのホタテが待ってます……」

実家の母がクール便で送ってくれた、とっておきの秘蔵品だ。大事なハレの日に食べようと、今日の今日まで冷凍室で引っ張り続けてきたのである。

「そうだな。フライか天ぷら揚げるんだったたな……」

「なので、もうちょっとだけがんばりましょう……」

しんどいお腹をぐうぐう言わせながら、電車に乗って帰宅した。

（――さて）

いざ六甲《ろっこう》のマンションに戻り、お互い手を洗って部屋着に着替えれば、早々に夕飯作りが始まった。

「……葉二さん。わたし、今回は豆ご飯も一緒に作ろうと思う……」

「な。そこまでか」

そこまでなのだ。

ベランダに茂るエンドウマメを見ながら、まもりは真剣な顔で言った。

だいぶ莢《さや》の一つ一つが太り、グリーンピースとして収穫するにふさわしいサイズになろうとしている。

「今日は契約して、ホタテも解禁の日。ここで満を持して豆ご飯はありだと思う……」

「わかった。なら俺もコールラビを提供する」

なんと。ついにあの呪文野菜の出番か。これは葉二も本気である。

同時期に種をまいたパースニップとルートパセリが、どちらもうどんこ病にやられて瀕《ひん》死《し》状態なので、それはそれは大事に育ててきたのである。

二人そろってザルを持ち、日が落ちかけたベランダに出た。

まもりがハサミでエンドウを収穫する一方、どうしても気になるのが葉二の動向だ。

「ほんと宇宙人の食べ物って感じ……」

「おまえな、文句言うなら食わせないぞ」

そもそも食べ物なのか、コールラビ。

プランターには青々と葉を茂らせる株が生えているのだが、これがまた説明が難しい。分類としてはアブラナ科の野菜らしく、葉の形状や茎の風合いも、同じアブラナ科のブロッコリーに似ている。しかし、茎の真ん中がいきなりカブのように丸く肥大し、その肥大した部分からもちらちら葉が出ているという、なんともキメラのような見た目なのだ。ブロッコリーのようでブロッコリーでなく、カブのようでカブでない。それが葉二の育てたコールラビであった。もともとは欧州の、イタリアあたりで採れる野菜らしい。

「品種によっちゃ紫のもあるから、これはまだおとなしい方だぞ」

「えばんないでくださいよお……」

「大丈夫、アブラナ科の野菜はだいたいうまい。虫に食われやすいからな」

ぺっと小さな青虫を取り除きながら、葉二。謎の格言をいただきました。

コールラビはカブのように引っこ抜けないので、肥大した株元でカットし、収穫となった。

「そもそもどうやって食べる気で？」

「まあオーソドックスなのは、サラダか。薄くスライスすると歯ごたえがいいらしい」

となるとやはり、近いのはカブか。よくわからない野菜だ。

とりあえずまもりは、豆ご飯係としての責務を果たすことにした。

まずは米を洗い、ザルにあげる。続けてエンドウマメも洗って、莢から中身を取り出す。スナップエンドウなら莢ごといただけそうなサイズ感だが、今回はとにかくお豆なのだ。

「ぷくぷくに育ったところを、割れ目でぱかっとあけると……いやーもう可愛《かわい》い！」

「叫ばねえと作業できねえのか」

「無理。めちゃくちゃ可愛い。見てこれ」

まん丸いグリーンピースが、莢の中でお行儀良く一列におさまっている。感動的な愛らしさだ。

取り出したグリーンピースがカップ一杯ほどになったら、炊飯器に米を移し、酒と塩と出汁《だし》昆布を入れ、内釜の目盛り通りに水を注ぐ。

「あとはグリーンピースを入れて……」

そして忘れてはいけない。グリーンピースがおさまっていた『莢』も、ここで一緒に炊き込んでしまうのだ。

「莢も一緒に炊くことで、グリーンピースが少なくても香り豊かな豆ご飯になるのです……ふふふ」

「それはそれで情けなくないか」

「しょうがないじゃないですか。絹さやの時に、ちょっと食べ過ぎちゃったんだから」

「開き直るな」

知らない、知らない、聞こえない。

鮮度がいいものを莢ごと収穫できるが、量はそれほど取れない、ベランダ菜園ならではの悩みと問題解決法と言えよう。

莢を一番上にのせたら、あとは蓋をして、普通に炊けばいいだけだ。まもりはスタートボタンを押した。

「さーて葉二さん。そっち手伝いますよ……って、葉二さん？」

肝心の葉二は、作業台の前で腰に手をあて、長考のポーズに入ってしまっていた。

しかめっ面の彼が見ているのは、まな板の上のコールラビだ。

あちこち葉が飛び出ていた枝を落とし、緑の皮を厚く削《そ》ぐように剝《む》いた後のコールラビは、一昔前の３Ｄ素材のようにただ白くカクカクとした物体に身を落としており、存外地味な姿をしていた。

ほの白い身を包丁で四つ割りに切ったところで、手が止まってしまっている。

「腰が痛いんですか？　寄る年波ですか？」

「うるせえ違うわ」

では何。

「なんかな、試しに割って、皮を剝いてはみたんだが……感触がいちいちゴリッって言ってな」

「ゴリ」

「俺のカンだが、このまま生で食ったら絶対固い」

「サラダがおいしいんじゃ」

「……くそ。育ちすぎたか……」

聞こえるか聞こえないかぐらいの小声で、葉二が毒づいた。

ははーんとまもりは目を細める。つまりまもりの場合とは逆。欲望のまま収穫してなくなってしまったのではなく、もったいぶっていつまでも収穫しなかったせいで、大きく育ちすぎてしまったのか。

「……おまえ。なんだその目は」

「いいえ別に何も。葉二さんが見たままにお受け取りください」

「言っとくけどな、生が多少食べづらいかもしれんって程度で、それ以外ならまったく問題ないはずだぞ」

「じゃあどうするんです？」

「加熱……ホタテを揚げるなら、一緒に揚げちまうか」

え、本気で？

サラダがおいしいらしくて、カブのようなブロッコリーのようなコールラビさんを？

揚げる？

「飯が豆ご飯なら、フライよりも和食の天ぷらの方が合うよな。よしまもり、ちょっとベランダ行って、天ぷらにできそうなもの収穫してきてくれるか？」

「ひー」

また大変なことになってきたぞ。

再びベランダに出向いて、目についたそれらしいものをザルに見繕って戻ってくる。

「大したものはなかったですよ。紫蘇《しそ》とシシトウがちょっとぐらい……」

「充分だ充分。洗って水気切っておいてくれ」

「合点です」

「シシトウは楊枝《ようじ》でつついて、爆発防止の穴開けて」

まもりを働かせている間、葉二は、コールラビを拍子木切りにし、揚げ衣と揚げ油の準備を始めた。

ボウルに市販の天ぷら粉を溶き、菜箸で揚げ衣を一滴落として、鍋の油の温度を確かめる。しゅわしゅわと軽快な音がし、衣は鍋底まで落ちるかと思いきや、すぐにまた浮かび上がってきた。

「お。いい感じでは」

「よし、まずは紫蘇だ」

「こちらをどうぞ！」

取ってきたばかりの紫蘇に、さっと片面だけ衣をつけると、天ぷら鍋に滑り込ませる。綺麗《きれい》な緑色のままからりと揚がり、葉二は味をしめたようだ。続けてシシトウ、拍子木切りのコールラビも揚げていく。軽い具から重い具にしていくのが、揚げ物のこつらしい。油切りのバットが賑《にぎ》やかになっていく。

「で、ラストが魚貝……」

「ホタテ様ですね。解凍済みです」

「きちんと水気が取れてねえと、跳ねるからな……」

その辺りもぬかりはない。さきほどキッチンペーパーで、しっかり拭っておいた。

母、みつこが送ってくれたホタテの貝柱は、身が肉厚で立派なものだった。衣をつけ、こちらも端から揚げてもらう。

「中がちょいレアぐらいも、うまいんだけどな……」

「あー、それは駄目。NG」

「わかってる。火はしっかり通すから」

「頼みますよ」

一方では炊飯器がピーピーと、炊き上がりを告げた。豆ご飯ができあがったようだ。

まもりは火の現場を葉二に任せ、カウンターの炊飯器に駆け寄った。

「じゃじゃじゃーん」

炊飯器の蓋を開けると、湯気とともにふわりと柔らかい初夏の匂いが鼻孔をくすぐった。優しいマメ科の香りだ。

(莢も一緒に炊き込んでるから、表面が莢だらけでなんか訳わかんなくなってるけど、これを取り除けば……)

菜箸で莢と出汁昆布を内釜から出し、あらためてしゃもじでさっくり混ぜる。

ご飯の白と、グリーンピースの緑でできあがった水玉模様に、我ながらうっとりした。

なんと愛らしい炊き込みご飯だ！

「葉二さーん、これお茶碗《ちゃわん》によそっちゃっていい？」

「おう、問題なし。こっちもそろそろ揚がるわ」

それは良かった。まもりも葉二も、夕飯まであと一息とスパートをかけた。

「──あれ？　なんか具が増えてる」

エプロンを取って席につこうとしたら、天ぷらの大皿に見慣れない具材が混じっていた。

「竹輪？」

「ああ。揚げ衣が半端に余ってたから、青のり混ぜて、冷蔵庫に余ってたのも一緒に絡めて揚げちまったわ」

「いいですけどね、磯辺《いそべ》揚げ好きだし……」

「タンパク質がホタテだけってのも、寂しいだろ」

のり弁の具によくある、あれである。好きか嫌いかで言うなら大好きだが、庶民的ではある。

「とにかくお腹《なか》が減りました。いただきましょう」

「食え食え」

禁酒中のため乾杯は省略したが、お互い労をねぎらって箸を手に取った。

「まずは──ホタテ様の天ぷら！」

一応、大根おろしと天つゆも用意したが、最初は粋に塩で決めてみようと思う。小皿に入れた藻塩を、ちょちょいと付けて食べてみる。

「……んー、レアじゃないけど、甘くてぷりっぷり。ありがとうママン」

悔しいが揚げ物の腕に関しては、葉二の方が断然上で、今回もべちゃべちゃにならずカリッと揚がっていた。

「ウニもなかなかうまかったな」

「え、なにそれ。それは知らない」

「こっちの話だ。忘れてくれ」

「ちょっと待って。なんですかねえ」

どう考えても裏切りや背徳の匂いがしたので、後でよく話を聞こうと思った。

引き続いて食べた豆ご飯は香り高く、グリーンピースのほくほくとした食感が素晴らしかった。皮が口に残らないし、臭みもない。この感じは冷凍や缶詰だとなかなか出ないのだ。

（来年も絶対エンドウマメ植えよう……）

そしてちょこちょこ絹さやに浮気しつつ、グリーンピースの豆ご飯祭をするのだ。

「で、葉二さんのコールラビは――」

「思ったより悪かないぞ」

「え、ほんとですか」

先に箸をつけていた葉二の感想に、戦々恐々としながら食べてみる。

衣はさくさく、中の真っ白いコールラビはカブ――いや大根――長芋――もっと適切な表し方があるはず――。

「……葉二さん。わかりました」

「なんだよまずいのか?」

「わたしですね、常々ブロッコリーは、蕾《つぼみ》より茎の部分がおいしいと思っていたんですよ」

「つまりなんだよ」

「これ茎っぽくて好きなんですよ。こりこりとぽくぽくのいいとこ取りっぽくて」

まもりの好きなブロッコリーの茎部分だけを、天ぷらにして食べているような感じなのだ。素晴らしいだろう。

やめられない止まらないと、コールラビをせっせと口に運んでいるまもりを、葉二は珍獣でも見るように眺めている。

「あー、でも、ついにやっちゃいましたね葉二さん。押しちゃいましたよ実印」

「そんなやらかしたみたいな言い方するなよ」

「だって実質一ヶ月ですよ、一ヶ月。家探すって、もっと色々検討して、じっくり腰据えてやるもんだと思ったんですけど」

「あのなあ、まもり」

葉二が竹輪の磯辺揚げを箸でつまんだまま、やや前傾姿勢をとる。

「よく考えてみろよ。さんざん比較検討して、あっちゃこっちゃの意見を取り入れて、ようやくおさえた結婚式場は、けっきょくどうなった？」

「う……キャンセルしました……」

「で、その後に決めた式場。あれだってほぼ即決だったろ。問題あったか？」

「……ないですね」

葉二の言う通りである。

二人で見に行った北野《きたの》の式場に、ほぼ一目惚《ぼ》れのような状態で、他のホテルや教会も見るには見たが、最初に惚れ込んだ北野クラシックの温室を超えるものはなかったのである。

その結果、満足のいく式を挙げることはできた。

「ぐだぐだ揉《も》めて結論が出ない時ほど、俺らの場合は慎重になった方がいいんだよ。で、これってもんが見つかった時は素直に乗っとく。だいたいそうやってきただろ」

「そ、そうですよね」

今回だって、無条件に即決したわけではない。

内見ではじっくり家の天井裏まで見せてもらい、こばと不動産の営業にも、似た条件の物件を何件も紹介してもらったが、予算と立地でここよりいいものはないだろうと判断した上で申し込みをしたのである。

「営業さんも、このあたりの中古はめったに出ないって言ってましたし。あそこで看板を見つけたのは、天の思《おぼ》し召《め》しってことですよね！　いいお買い物をしたんですよわたしたち」

「まあ、ローンの本審査落ちたらパアだけどな、契約」

がっくりしてしまった。

「なんでそう、持ち上げて落とすような真似《まね》を……！」

「わかんねえぞー、会社員じゃなくて経営者ってだけで、審査厳しいからな。仮審査はよくても、本番で駄目ってパターンもある」

「人がせっかく前向きに考えてたのに」

「ま、たぶん大丈夫だろ。通った時のことだけ考えようぜ」

今さら気楽に竹輪をかじるな、と思う。ポジティブなのかネガティブなのかわからない人だ。

呑気《のんき》だなんだと言われるまもりだが、こういうところでのハンドリングは、葉二の方がよっぽど思い切りがいい。

「通った時か……」

「あの家と庭が手に入る」

「葉二さん、ぜったい菜園作りますよね。地植えデビューだ」

「家の中はまあ、築年数相応だから、色々手を入れないとな」

「そういえば、リフォームの会社ってどうなってます？　リノベの見積もりお願いしたって言ってましたよね」

「ああ。大手のところで一件と、あとなんだったかな、不動産屋が勧めてくれたリフォーム専門の――」

葉二は眉間に手をあて、考え込む。

「思い出した。松川《まつかわ》プランニングホームだ」

＊＊＊

そのリフォーム会社では、一人の営業マンが理想を語っていた。

「……俺さ、昔はラーメン屋開くのが夢だったんだよね」

「はあ、ラーメン屋」

「そう。ラーメン屋」

彼の名は松川基《まつかわもとい》。ここ松川プランニングホームの営業部員だ。

兵庫県神戸市《ひょうごけんこうべし》内にあるオフィスの自席で喋《しゃべ》りながら、きっかり三分待ったカップラーメンの蓋を開ける。すかさずデスクの引き出しからMYコショウを取り出してふんだんにかけ、割り箸を口で割って一気にすする。

「まあそこまで無謀な夢じゃなかったと思うよ。こう見えて麺とスープには一家言ある方だし、バイト先じゃ客のあしらいうまいって言われてたんだよ。記憶力には自信あるんだよね。なんて言うの、一回見たものはだいたい忘れない」

「へー、そうなんですかー。すごいですねー」

「こだわりだけで採算取れないなんてよくあるパターン、あれ店主が勉強してないからだから。俺は一応経営学科でビジネスのビジョンとかスケールを……ねえ仁美《ひとみ》さん、聞いてる？」

いまいち反応が薄いのである。

高野《たかの》仁美は、基の真後ろに座る営業事務員だ。今の今までパソコンのキーを叩《たた》きながらのひたすら無機質な応答に、こちらが心配になって確認を入れたら、仁美は耐えかねたように振り返った。

「聞いてますよもう！　こっちはとっくに昼休み終わってるんです！」

「いいね、俺今帰ってきたとこだから」

「ほんとさっきからぐだぐだぐだぐだ、定年間際のおっさんの繰り言かと思いました」

「いや、俺まだ二十九……」

「ならとっとと開きゃいいじゃないですか、ラーメン屋でも冷麺屋でもなんでも。自信あるんでしょう」

「そうはいかないんだよ」

これだからお嬢さんは困るのだ。基は肩をすくめた。

「俺がいなかったら、この松川プランニングホームはどうなるのさ。病床の親父《おやじ》に『会社を頼む』って泣きつかれたから、俺はわざわざ転職して――」

「誰が誰に泣きついたって？　ああ？」

いきなりその肩を叩かれ、左手に持っていた『ごっつ盛り』がこぼれるかと思った。

わざわざ振り返らなくてもわかる。いがらっぽいダミ声と無駄に強い握力は、基の父にして社長の高資《たかすけ》だ。

「まだ出社は早いんじゃ」

「自宅療養だ？　家で寝てるぐらいなら、こっちに顔出した方がなんぼかましだ。あることないこと言われんですむからな」

「いやでも実際めっちゃ泣いてた――」

「基ぃ！」

事務員以外はほぼ人が出払った営業部のブースに、高資のダミ声がとどろいた。やめてくれやかましい。

「いくらおまえが息子だろうとな、ろくに仕事もできん奴に跡は継がせんからな」

「はあ？」

さすがに基も捨て置けなかった。

「いきなり難癖ですか昭和じじい様は」

「誰が昭和だ」

「こっちでも、数字はちゃんと上げてるでしょうが。入社してからの成績見てなかったりする？　ひょっとして」

「その偉そうな『こなしてやってる』感がな――」

「好き嫌いで判断とか、まさに昭和の根性論でしょ。言いがかりにしても低レベルすぎませんかね」

「なんだとお！」

「はいはい社長、どうかそのへんで抑えて。血圧あがりますから」

仁美が回転椅子から立ち上がって、レフェリーのように間へ割って入った。

「松川さん、このあとお客さんと打ち合わせ入ってましたよね」

「あ、ああ。灘《なだ》区《く》の亜潟《あがた》様」

「そろそろ支度した方がいいんじゃないですか。最初の顔合わせで豚骨醬油《しょうゆ》の匂いがするって、かなり印象悪いし」

「いつか頭打っても知らんからな！　この頭でっかちが！」

やかましいよクソオヤジ。基はカップラーメンを持ったまま、自席を離れた。

（そっちは化石級の石頭じゃないか）

給湯室に行く間に麺をあらかたすすり、残りのスープはシンクに捨てた。

仁美に言われなくても、歯磨きとブレスケアは欠かさない。営業職としての基本だ。手早く身支度を調えると、基は予定通り社用車に乗って打ち合わせに向かった。

還暦近い父親に癌《がん》が見つかり、余命いくばくもないと医者に言われたため、基は新卒から勤めていたカーディーラーの仕事を辞めた。実家のリフォーム会社に営業で入り、ゆくゆくは父の後釜として経営側に回るはずだったのに、何をどうしたかヤブ医者の見立ては大きくはずれ、術後の回復目覚ましいワンマン社長をどうすればいいか、みな考えあぐねている感じだ。というより、懇願を真に受けて転職してしまった基だけが貧乏くじと言えなくもない。

（まあ、このままおとなしく隠居しててくれよ親父殿は。これからは俺の時代ってことでさ）

前職の営業成績は、決して悪くなかった。地区で表彰されたこともある。こちらに移ってからも、残業ばかり多い古株営業部員より貢献している実感はあるし、資格も順調に取得中だ。

地元の小さな工務店だった家業を、リフォームとリノベ専門の会社として発展させた父の腕前は買うが、いつまでも半人前の子供扱いされるのも困るのだ。

阪神高速沿いの道を走り、ＪＲ六甲道駅《ろっこうみちえき》近くでパーキングを探す。

打ち合わせ先は、駅徒歩七分の中古住宅だった。築十四年の永瀬邸。クライアントの亜潟様は、こちらの家を購入した上で大規模なリフォーム——つまりリノベーションを希望していた。

契約の関係で家の引き渡しはまだ先だが、引き渡しと同時に工事を始めるためには、今の段階から見積もりその他で動く必要がある。そういうわけで、物件を管理しているこばと不動産の営業に鍵を開けてもらい、クライアントとともに現地を見てリノベのプランを固めることになっていた。

現地調査、ヒアリングと数回の見積もり作成までは、たいていの業者が無料だ。この段階では基の働きが金になるかどうかは、まったくわからない。しかしそこでお客様の心をつかんで『うん』と言わせるのが、基の仕事であり腕の見せ所だった。

(今度のクライアントはなんだったかな……亜潟、亜潟葉二。北野でデザイン事務所を経営。奥さんと子供が一人……いや、これから産まれるのか？)

車を出る時にあらためて、客のプロフィールを頭に叩きこむ。

そして、電話とメールのやり取り以外で初めて会った亜潟葉二は、想像以上にインパクトがあった。

「亜潟です。よろしくお願いします」

——うわ、なんだこれ。

まるでド素人のような声が出かかった。

永瀬邸の前にいたのは、基よりもやや年上、三十代半ばの男だ。いわゆる上背があって骨っぽいタイプの美形で、小洒落《こじゃれ》た海外ブランドのスーツが真昼の住宅街という場所にいてもよく似合っていた。十年前はファッション誌やランウェイを賑《にぎ》わし、今は後輩のためにモデル事務所を立ち上げましたというストーリーが頭に思い浮かんだが、経営している会社はWeb広告やロゴデザインの製作が中心だというので違うはずだ。

一緒にいるのがこばと不動産の営業で、こちらがまた典型的な好々爺《こうこうや》かつダルマ体型なので、ジャンルと頭身の違いがいっそう引き立っていた。

「失礼ですが、お名前が松川さんということは……」

「はい、社長が父で。私は営業を担当しております」

「それは色々大変でしょうね」

自分自身が立ち上げた会社を持つ亜潟葉二は、基の名刺を見て同情めいた苦笑を浮かべた。そのできのいい顔で、こちらの何がしかを見透かされたような気がして、基はとっさに営業用の愛想笑いを作り直すはめになった。

「すみません。この後所用で、事務所に戻らないといけないんですよ。一時間ほどしかいられないんですが……」

「いえいえまったく問題ないですよ」

こりゃまたモテそうなイケメン様が来たなというのが、最初の印象だった。

「今日はご一緒に中を見ながら、ざっくりしたイメージをお伺いできれば、はい。奥様はいらっしゃらない？」

「ああ、来てはいるんですが……」

葉二が言いながら、後ろを向いた。

「まもり。走らなくていいから」

「ごめんなさいごめんなさい。やっぱりお財布置いたままだった」

神戸山手《やまて》特有の坂があり、その坂の上から、それらしい女性が小走りに駆け下りてくるところだった。

（──奥さん、若っ！　一回り下じゃね？）

近くで見た基は、まず葉二との年齢差に驚いた。

栗色《くりいろ》の髪をゆるく一つにまとめ、やわらかい素材のセットアップワンピースを着ている。足下がフラットシューズなのは、前知識通り妊娠中だからだろう。

「リフォーム会社の方ですよね。はじめまして、亜潟まもりです」

葉二の成熟した迫力に対し、屈託のない笑顔がまぶしい。

「ちょっと家まで、忘れ物を取りに行ってたんですよ。すぐそこなんです。あの青い屋根のマンションわかります？」

つまりあれか？　今回のクライアント、見た目は芸能人ばりのイケメンな上にデザイナーで起業して、なおかつ奥さんは一回り年下の癒やし系ときたもんだ。ここまで役が揃《そろ》うと、出来すぎだろうという気にもなってくる。

実際にリフォーム予定の家に入り、既存の間取り図と照らし合わせながら改装の希望を聞いていくわけだが、話すのはもっぱら旦那の葉二の方だった。

「とりあえず僕らで話し合って出た要望としては、キッチンは今より広めに。リビングとの壁は取り払って、行き来しやすくしてください。それと寝室とは別に、仕事をするための書斎を作ってほしいです」

「なるほど、キッチンを拡張して独立式から対面式にすることと、ご主人用のワークスペースですね。デザイン関係でしたら、機材もそれなりに置きますか」

「そうですね。あとできれば妻の分も」

「奥様も別に。承知しました。他には……」

「庭は花とか野菜とか色々と植えるための、専用のスペースが欲しいです。庭を全部コンクリで固めるのはなし――で、いいんだよな？」

葉二が振り返って確認すると、一歩後ろを歩いていたまもりが、「いいんじゃない？」と微笑《ほほえ》んだ。

「かしこまりました。弊社は家屋だけでなく、お庭のリフォームも総合的に承っておりますので、充分対応可能です。花壇ですね」

「坂があるんで、今の家の土台をうまく活《い》かしてもらえますか」

「それはしっかりしてますから、大丈夫でしょう」

「亜潟さん亜潟さん。ちょっと」

こばと不動産の営業が、横から葉二を手招きした。

「こっちの床柱が大変綺麗《きれい》ですよ。これは別の形で使えないですかね」

興味を持ったらしい葉二が、招かれて隣の和室へ移動する。

二人が居間からいなくなったので、基はあたりを見回した。

ここまで会話の輪から外れ、一人作り付けの収納を開け閉めしていた女性——亜潟まもりが目に入った。

「奥様は、何かご希望などはありますか？」

「え——」

基は安心させるべく、小さく笑みも作る。

「どんな些細《ささい》なことでもいいんですよ。たぶん奥様の想像よりずっと大きなことが、今のリノベではできますから」

「……んー、そうですねえ……」

まもりは口元に手をあて、今さらのように考えはじめた。

「なんかいざ自由にって言われると、頭がいっぱいになっちゃって。家を買うなんて初めてですから」

「わかります。みなさんそうおっしゃいます」

「とりあえず赤ちゃんが過ごしやすい家、とか……」

「小上がりの和室などがあると、寝かしつけなど楽だと言いますね」

「ああいいですねえ」

「他には？」

「何があるんでしょう」

「リビングにブランコを作るお客様もいらっしゃいましたし、ボルダリング用の壁を希望されるお客様もいらっしゃいましたよ」

「へえ、それはとっても面白いですね！」

「ボルダリングに興味が？」

「いいえ、ただ楽しそうだなって」

「……台所についてはいかがでしょう。毎日使われるものですし」

「それはわたしだけじゃ決められませんから……」

常に笑顔は絶やさず、好感度もすこぶる高く、されど中身らしい中身はまったくなし。なんだろう、このなんとも言えぬ手応えのなさ。

ここまで葉二が主体になって話をしてきたが、妻のまもりは笑って相づちを打つばかりで、自分の希望を喋《しゃべ》らせるとふわふわして非常に頼りない。夫と年が離れているせいだろうが、なんでもうちの主人にお任せしていますという雰囲気である。

「……あ、一個ありました希望」

「なんでしょう」

「机、欲しいです。わたし用の机」

「奥様用の家事スペースでしょうか……さきほどご主人もおっしゃってましたね。他には何かございますか？」

「さあ」

「特にないと」

「はい。勝手に変なことを言ったら叱られるし、あとは夫に聞いてください」

そしてまたニコニコ、だ。

(──だめだ。話にならんな)

失礼だが率直な感想だった。こちらから主体的な話を引き出すのは、諦めた方がいいかもしれない。

別にそうならそうで、基としては構わない。キーパーソンの夫側に、ターゲットを絞ればいいだけだ。

ただしお飾りな奥様のご機嫌をそこねることだけは、面倒なので避けなければならない。

「でもご主人、本当にすごい方ですよね。お若いのに起業して、結果もちゃんと出されて」

「えー、どうなんでしょうね」

「奥様も色々とご苦労があったと思いますが」

旦那と一緒に持ち上げられたまもりは、苦笑しながらも嬉《うれ》しそうだった。

「もともと好きな仕事だったみたいですけど」

「素晴らしいじゃないですか」

「わたしが大変って言うなら、たぶん起業の時よりもあの人が三十前にいきなり会社辞めちゃってフリーになった時の方が、よっぽど度肝抜かされましたよ」

「その頃からおつきあいを？」

「そうなる前ですね。もうあの時のインパクトに比べたら、結婚してくれ、関西行って起業もするけどって言われたことなんて、些細な誤差ですよ。本気で何考えてるんだろって思いましたもの」

「いえいえご立派ですよ本当に――」

営業モードで愛想笑いを続けるが、基は内心複雑だった。

そうか。少なくとも亜潟葉二は、基の年には何かしら行動していたわけか。ただカップ麺片手に、ありえたかもしれない『もしも』の夢を語っているだけではなく。

その後はご希望通り夫の葉二中心に商談を進め、たまったヒアリング結果を持って帰社したわけだが――。

「どうしたんですか、松川さん。眉間に皺《しわ》寄せて」

「なんだかなー……」

事務の仁美に言われるまでもなく、自分は難しい顔をしているかもしれない。

基は自席のノートパソコンを再起動させ、その前で考えこんだ。

車だ家だと、高い買い物をする人間相手にいちいち嫉妬しても仕方ない部分があるが、時々こういう客に当たるのである。前世でどんな徳を積むとこうなるのか、よほどのチートでも使ったのかと思う男と、そのお飾りの若い妻。

今のところ仕事は順調、結婚して家族が増え、あとは自慢できる我が家といったところか？　自分だって数年後はと、試しに父親の会社の空いた社長席に自分を座らせ、目の前を通りかかった仁美を仮の社長夫人としてみたが、全てが借り物すぎてまるでリアリティがなかった。

「そんなに難しいお客様だったんですか？」

「いいや、むしろめちゃくちゃわかりやすい……」

そう、パターン自体ははっきり見えている。

基のようなむりやり家業に巻き込まれたタイプではなく、むしろこういう独立心旺盛な人間は、好きにいじれるのを楽しみにビンテージの住宅を買うだろう。いいと思えば、最初の予算以上に金は積んでくるはず。あの妻も夫には従順だから、夫が出した結論に異議は唱えないだろう。

「決めた。この案件、絶対取ってやる」

「珍しい。やる気出してる」

「まあ結果をお楽しみに。つかさ、後で親父《おやじ》に言っといてよ。今月も俺が記録塗り替えるかもなって」

基は勢いよく立ち上がり、隣の設計部へ足早に向かった。

「あ、間宮《まみや》さん。いいところに来た。ちょっと相談があるんですが——」

「何、俺にできること？」

「できるできる。むしろ間宮さんの腕とセンスにうってつけ」

——どんなに相手が上であろうと、売ってしまえばこちらの『勝ち』だ。つまるところ基がいる営業とは、そういう世界なのだ。

彼らの心を動かすリフォームプラン、勝ち筋と攻略の目は、すでに基の中に見えていた。

そして一週間後。

基は前のめりで準備を進め、次の週末にはリフォームプランと見積書《みつもりしょ》を持って、亜潟家のマンションを訪問した。この間、基のポリシーに反して残業はかなり増えたが、まあ上出来だろう。

彼らの自宅は、購入予定の永瀬邸とは本当に目と鼻の先で、例の癒やし系の若奥さんに、笑顔で出迎えられた。

「いらっしゃいませ松川さん。どうぞあがってください」

「失礼します」

こちらも愛想笑い全開で、そろえられた客用スリッパに足を通す。

建物の築年数は古いが、室内の掃除はよく行き届いているようだ。調度類は、基の予想よりやや庶民的だろうか。金属よりも木、革より布を多く使ったナチュラル系のインテリアで、まもりの趣味なのだろうと当たりをつける。

だがリビングに来て何より驚いたのは、南側のベランダいっぱいの植物だった。

「これは……お見事ですね」

「素直にやりすぎって言っていいんですよ。ついつい増えちゃって。ジャングルみたいでしょう？」

「おい。余計なこと言うな、まもり」

葉二にたしなめられたまもりが、苦笑しながらキッチンに消えていく。

基は気を取り直し、さっそく葉二との商談に入ることにした。

「このたびは――」

「――どうしよう、葉二さん。紅茶が切れちゃってる」

「は？」

「わたしのグリーンルイボスしかない。インスタントのコーヒーでもいい？」

「買い置きが食料庫《パントリー》の下段にあるだろ」

「あった、良かったー！」

「ないなら緑茶でいいから」

「でもせっかくクッキー焼いたし……」

いいから少し黙っていてくれないかな。基は少々いらついていた。

しばらくすると、まもりが何事もなかったようにティーカップ三脚と、手作りらしい茶菓子を盆にのせて、基たちがいるダイニングテーブルにやってきた。

「恐縮です奥様。お構いなく」

「良かったら、松川さんも一緒に味見してくれませんか？　そこの野菜から作ったクッキーなんですよ」

まもりいわく、去年収穫して乾燥させておいたプチトマトで作った、ベジクッキーらしい。

四角い素朴な形状のクッキーだ。縁には粒の大きいグラニュー糖がまぶされている。中に練り込まれた赤いつぶつぶは、レーズンやチェリーでもなく、ドライトマト由来ということか。

「以外と簡単なんですよ、これ。ドライトマトと粉とお砂糖まわりをまずフードプロセッサーでがーっと回して、またバター入れて一回しして、卵黄入れてがーっって回したら生地ができちゃうんです。あとはまとめて冷凍庫で冷やした後、スライスしてオーブンで焼くだけ。もう泡立て器でバター練ってた頃に戻れないぐらい」

「ケーキとかマフィンとか、何かちまちま焼くのがまもりの趣味なんですよ。お嫌いじゃなければ、つきあってやってくれませんか」

――仕方ない。

営業中に客が勧めたものを貶《けな》すことなど死んでもできないし、どんなキワモノを食べようが笑顔で世辞を言う覚悟はあった。それこそタワシをアワビと絶賛する世界だ。

しかし、実際に食べたらその心配は杞憂《きゆう》だとわかった。

「……おいしいです」

お世辞をひねり出すどころではなく、素直に感想が『うまい』になってしまった。

「そうですか？　よかった」

「はい。いやほんとにいけますよ、亜潟さん。さくさくで焼き加減もいいし、変に野菜くさかったり甘すぎたりもしなくて。ドライトマトって、焼くとこんな干しぶどうみたいな味になるんですね。粉チーズが混ざってるのがいいんでしょうか。あとこれ、黒胡椒《こしょう》が入ってます？　ちょっとだけ」

「わかります？　嬉しい。そこがポイントなんです」

ついつい素でラーメンを語る時のノリになってしまった。

しかし亜潟葉二の奥さん、ゆるふわだがお菓子作りはうまいらしい。茶請けはもちろん、ワインにも合いそうな味だ。長じて旦那側のむかつくポイントが上がったが、この借りは契約の成立で返してやると切り替えた。

「それでは今回のリノベのプランを、ご説明させてください」

基はあらためて必要な資料をテーブルに並べ、プレゼンをはじめた。

とにかく視覚に訴えようと、外観と内装のイメージCGには力を入れた。ほとんど実物写真とかわらないはずだ。しかも人気インフルエンサーの、スタイリッシュな自宅風に切り出してある。

まもりが資料を見ながら目を見張った。

「格好いい……」

「コンセプトは、『スローライフを満喫できるサスティナブルな家』です。床は素足で歩いても気持ちのいい、無垢《むく》材に統一しました。壁は全て漆喰《しっくい》塗りで、一般的なビニールクロスとは違うぬくもりと耐久性が売りです。屋根は補強の上でソーラー発電を導入し、環境負荷に配慮を。和室は梁《はり》だけ残してリビングと一体化させ、強度と素材感をアップさせました。これでお二人ご希望の、キッチンの対面化と、リビングの拡張ができます」

「書斎の件は？」

「こちら、お二階になります」

二階の図面に切り替える。

「お二人の寝室と、将来のお子様の部屋、そして大型のウォークスルークロゼットの横に、ご主人のワークスペースを用意しました。完全に独立した空間ですので、Ｗｅｂ会議時のセキュリティも安心ですし、エアコンと各種配線も完備されています」

「まもりがリモートで作業できるスペースは取ってある？　一応仕事もしてるんだ」

「もちろんです。こちら一階のキッチン脇に、奥様専用のカウンターデスクをご用意しました。奥のバスルームや洗面所に直結していますので、キッチンのお料理を見ながら洗濯機を回したり、リビングで遊ぶお子様の様子がうかがえたりと、大変便利な場所になっております」

「あのー」

どこかおずおずと、亜潟まもりが手をあげた。

「なんでしょうか奥様」

「これ、お庭についてなんですけど。ウッドデッキとカーポートがあるのはわかったんですが、お野菜を植えられる畑はどこに……」

「ああ、それですか」

それは後で説明するつもりだったんだよ。話の腰を折られた形だったが、基は顔に出さずに笑顔を作った。

あらためてまもりが見ていた図面で、場所を説明した。

「場所が少し、今ある花壇から北側に移動しております。リビングからは見えなくなりますが、こちら、『ミニ・ポタジェ』という記載がありますね」

「ポタジェ……？」

「家庭菜園を意味するフランス語だよ」

葉二が横から補足した。

(知ってるのかよ)

営業トークのネタを奪われた形だが、焦るな。ペースをこちらで握って主導するのだ。

相手に明け渡してはいけない。

「そうですね。ご主人がおっしゃる通りで。野菜やハーブ、花などを混植させて、観賞と実用の両方を兼ね備えたガーデンスペースです。花壇のようにレンガを組み合わせて、コンパクトですが見栄えは素晴らしいですよ。当社の施工例です」

「わ、可愛《かわい》い！」

「まさしく『映える』ガーデンです」

この『ミニ・ポタジェ』でまもりを満足させ、残りのスペースはゴムチップとコンクリートを敷き詰めさせてもらった。やはり手入れの簡便さと屋根付きのカーポート、そしてリビング直結のウッドデッキを拡張する方が、家主の葉二にはアピールできると思ったからだ。

「悪くはないと思うが……やっぱり見積もりはだいぶ高くついてるな」

「ええ。それはどうしても」

基は精一杯、申し訳ない顔をしてみせる。

「お客様のご希望を最大限叶《かな》えようと思う時、予算ありきですとどうしてもあれができない、これができないと考えに枷《かせ》ができてしまいます。弊社としてはまずはその枠を取り払って、最大限できることをご提案させていただきました。ここから現実的なラインに落とし込むことは、充分可能かと思います」

「たとえば？」

「漆喰を取りやめて、漆喰風のクロスにする。照明のグレードを特注から、こちらのスタンダードタイプの中から選ぶ形にするとか」

ある意味、これは基の作戦だった。

車のショールームで、新車を売っていた頃からの必勝法だ。お客にはまず夢を見せる。想定よりも上のオプションや新機能を山ほど体験させ、充分酔いしれさせてから現実をつきつける。そうすると、いったん良いものを知ってしまった客の方は、多少無理をしてでも高いプランを選ぼうとするのだ。

「それはそれで無難だが……なんかつまらなくなるな」

そうだろうそうだろう。意識が高くてこだわりが強そうなタイプと、基が見込んだだけある。うまくこちらの術中にはまってくれそうだと、密《ひそ》かに心を熱くした。

「どうするまもり。予定よりちょい高めだけど、家の方をだいぶ値引いてもらったこと考えれば、これも悪いプランじゃないと思うんだが」

「……えー、でも葉二さん。わたしはちょっとNGかも」

基は、一瞬我を忘れて叫びそうになった。

（待てよおい！）

ずっと夫の言うことにうなずいて、お人形のようにニコニコしていたじゃないか。なんでここに来て我を見せる。

妻は今、基が作った必勝プランを前に、可愛らしい顔を曇らせている。

「……ど、どのような点が気になりますか。やっぱりポタジェですか。小さすぎるということでしたら、広げることも可能で」

「いえ、それは周りにプランターを置けば、今と変わらないし充分対応できると思うんです」

きっぱりとまもりは言う。

「ただこの間取りだと、葉二さんは二階の書斎か、お庭のポタジェに立てこもりますよね。キッチンからいくら呼んでも、声届かないですよね」

「立てこもりというと語弊はあるが、まあそうなる率は高いだろうな」

「引きこもりと言わないだけましと思ってくださいよ。ちょっと目を離すと仕事部屋か、ベランダでアブラムシ退治してるくせに」

「うるせえよ。なんでその二択なんだ」

絶対君主のはずの葉二が、口汚く返して顔をしかめた。

「今は一階だけのマンションだから、自分の世界に入られてもなんとかなってますけど……逆にキッチンの葉二さんに『人参《にんじん》取ってこーい』なんて言われても、玄関まわってポタジェまで取りに行くのが大変そう」

　基は自分が持参した、リフォームプランをあらためてチェックした。

カーポートとウッドデッキにこだわった余波を受け、小さなポタジェは出入り口から一番遠く、目の届かない場所に追いやられていた。

「申し訳ないですけど、このままの間取りは不便にしか思えません」

「確かにその点に関しちゃ、この前来た大手の提案の方がましだったか……」

　手の中から、細かい砂がこぼれ落ちていくような感覚だった。

　絶対に勝てると思っていた。勝ち組で俺様な夫の方を取り込んで、お飾りの妻はお飾りらしく笑ってもらうはずだった。

　なのに――。

「松川さん」

　葉二が基の名を呼ぶ。

「そういうわけで、もう一度検討してみてもらえませんか」

　――いったい俺は、どこで何を間違えた？

＊＊＊

その日の夜。

まもりは風呂から出ると、リビングの床にヨガマットなぞ広げて、ヨガの真似事《まねごと》をはじめた。

（よっこいしょ）

マットの上に座って、ぐんと体をのばす。

一丁前にマタニティヨガかよと思われるかもしれないが、動画の解説を見ながらの自己流なので、どこまで正しいポーズができているかは不明である。ただ、お腹《なか》が大きくなってきても肩こり腰痛が通常の痛みの範疇《はんちゅう》におさまっているので、できる範囲で続けようと思っていた。

お風呂でほどよく温まった体が、深呼吸と一緒にほぐれていくのは、単純に気持ちがいいという面もある。

それにしても――。

「なーんか、物事を決めるって消耗しますよねー」

ソファでくつろぐ葉二が、こちらを向いた。

「なんだ――もしかして昼間の件か？」

「そう。松川さん、もうしょぼーんってしてたじゃないですか。今さらちょっと罪悪感が」

「バカ。相手は仕事なんだから、可哀想《かわいそう》なんて同情する必要ないだろうが。あれだって演技かもしれねえぞ」

「そうなんですけどね……クッキーおいしいって言ってくれたし」

「おまえチョロすぎだろ。そんなんで社会人務まるのか」

務まっているぞ、一応。入社四年目だ。

家と外でお面を付け替えていた葉二の気持ちが、最近少しわかるのである。会社では気を張っているのでまだいい。しかし上司の意向や社則がない世界はふわふわしすぎていて、一つ物事を決めるのにもエネルギーが大量にいる気がするのだ。責任も全部自分にかかってくるから、自由な反面とても疲れる。

「葉二さんは、よっぽどのことがないと迷わないイメージ。お仕事でもプライベートでも。秘訣《ひけつ》はなんでしょうね。やっぱジャージ眼鏡スイッチ？」

「そんな単純なもんでもないと思うが……少なくとも、まもりに名付けのセンスがないことは断言できるな」

「は？」

まもりは四《よ》つん這《ば》いになって『猫のポーズ』を取っていたが、聞き捨てならない言葉に顔をあげた。葉二は手持ちのスマホ画面を、神妙な顔でこちらに見せてくる。

それはまもりが入浴中に送った、産まれてくる息子の名前候補だった。

「え、なに、だめだった？」

「だめだったって、真顔で聞いてくるおまえがわからねえよ。なんでこんな画数多い名前ばっかりなんだ」

「自分がひらがな三文字だから、漢字使うの憧れるんですけど……」

「ヤンキーの『夜露死苦《ヨロシク》』じゃねえんだから。書き初めで名前が真っ黒に潰れて、子供に恨まれたいかおまえ」

「もー、そこまで言わなくてもいいじゃないですか！」

これでも一生懸命考えたのである。

まもりは憤慨し、ヨガはやめてソファの葉二のところに倒れ込んだ。

「こら、危ねえぞ」

葉二は毒づきはしたが、まもりが座面から転がり落ちないよう、膝枕を許してくれた。

「ほらー、赤ちゃんもパパひどいって怒ってるよ」

「ママの暴走を止めてって、懇願する声は聞こえる」

嘘《うそ》つけ。寝ながら顎にパンチしてやった。

そのまま目の前のテレビ画面に見入っていたら、葉二がこちらの頬を軽く叩いた。

「あのなまもり。話は戻るんだが」

「なに？」

「断って罪悪感がうんぬんって件。少なくとも松川さんは、持ち帰って練り直すって言ってただろ。それは信じてやるのが筋なんじゃないか」

大変意外に思われるかもしれないが、亜潟葉二はこう見えて存外真面目に人の話を聞くし、適当にしないで返してくれるのである。

一緒にドラマを見ていると思ったら、ずっと考え続けていたのか。

恐らく今日この日まで、似たような駄目出しをしたりされたりしてきた人の話は、傾聴に値すると思った。思い切り寝っ転がってしまっているが。

「期待されてねえ方が俺はへこむけどな」

「……ピュアなのはどっちだって話ですよ」

「は？」

なんでもない。単なる独り言だ。

とりあえずこの人と一緒になってよかったなと、四年目にして再認識しているところだ。

きっと今よりいい道が見つかるはずと、信じてみよう。

(うん)

お腹の子と、葉二とまもりの三人で、楽しく暮らせる家のプランがあるはずなのだ。

だからどうかお願いしますよ、松川さん――。

＊＊＊

最悪だ。

独りごちる隙もなく、無駄に考え込んで出口が見えないまま、時間だけが使い潰されていく状況だった。

今も設計部の建築士、間宮が苛立《いらだ》たしげに営業部を訪れ、指示を出せと迫ってくる。

「あのさー、松川君。俺だって暇じゃないのよ。そろそろ直しの方針だけでも固めてくれない？」

「すみません間宮さん」

「ひとまず庭のポタジェを移動させて、拡張するってことでいい？　カーポートとウッドデッキのどっちか削ることになると思うけど」

「いや、そこはちょっと待ってください。もう少しだけ」

「もう少しって、どれだけ待ちゃいいのさ」

「ですからそれは――」

基は言葉に詰まる。

ただ場当たり的に、亜潟夫妻の言っていた問題点を修正するだけでは、駄目な気がするのだ。それでは提案としてまとまらない。契約には至らない。

「――とにかくね、しわ寄せがこっちに来るのならご免だよ。そうなったら俺は降りるからね！」

「間宮さん」

「そういうことで。じゃ！」

言いたいことを言いきったのか、間宮は足音をたててブースを去っていった。

しかし早くしろと罵られたところで、肝心の修正プランは定まらないままだった。

一度はいけると思った作戦が、完膚なきまで外れた衝撃のせいかもしれない。あの背中の血が凍るような感覚が忘れられないのだ。また同じことを繰り返したら。そう思うと、今まで使ってきたどのカードも、今回の件には的外れに思えてくる。

基は浅く腰掛けた椅子の背もたれに上半身を預けて、乱暴に天を仰いだ。

（くそ）

こんなに何も『見えてこない』のは、社会人になってから初めてのことかもしれない。

いったいどうすればいいのか——。


「備品を粗末に扱うな。社の財産だぞ」

そうして見上げていた石膏《せっこう》ボードの視界に、侮蔑に満ちた高資の顔が入ってきた時の気持ちを答えよ。配点二万点。

「……徘徊《はいかい》老人すか？」

「減らず口か。苦戦しとると聞いたから、笑いに来てやったんだが」

十五キロも痩せておいてよく言う。

我が父親ながら、悪魔の血でも引いているのかと思う。急所をえぐることに長《た》けたサディストだ。

「おまえはな、なんでもかんでも型にはめて、上からことを理解しようとするふしがあるからな。外れて鼻っ柱が折れたか。やれ数字上ではこうだ、セオリーではありえないなんて言っとるから、大事なものを見失うんだ」

「……そうかもですね」

うるさい黙れ、ご高説なら間に合っていると言いたかったが、今の基にそれを言える口はなかった。

最終的に、嫌みな悪魔も視界からいなくなった。基はまだ安い回転椅子に浅く腰掛け、革靴の足を机に投げ出していた。

「……ラーメン屋でも始めるかな」

乾いた独り言が、口をついた。

「夢だよ夢。今がその時なんじゃないの。真面目に三年ぐらい修業してさ。阪急沿線の商店街で、カウンターだけの小さい店を開くんだよ。ちょっと狭くて小汚いぐらいが安心感あるよね。まあどうせこれも口ばっかりで、実現しやしないんだろうけどさ。俺のことだから」

「──松川さん」

ここまでずっと空気のように仕事をしていた仁美が、たまりかねたように振り返った。

「言っていいですか。キモイです」

「いやごめん。ほんとごめん。ごめんなさい」

基は足をそろえて地面に戻し、土下座せんばかりの勢いで頭を下げる。

「天狗《てんぐ》してた時のうかれ勘違いっぷりも鬱陶しかったですけど、卑屈よりはよっぽどマシだと痛感しました。なんなのこれ」

ずいぶんな言われようである。

「でも実際、本当のことだし」

自分は高資の言う通り、何も見えていなかった。このままでは確実に失注するだろう。なんの手がかりもなく、相手への爪痕も残せず、無残に客を大手に差し出すことになるのだ。

これでいいはずがない。焼け付くほどに悔しいが、それでもきっと今の基ではだめなのだろう。

「たかだか一回の失敗ぐらいで、何言ってんですか？　あなたがお客様と積み上げてきた経験も実績も、売りも強みも全部無視？　無価値ですって？　そんなわきゃねーって、言われなきゃわかんないんですかこのすっとこどっこい様は。謝る相手が違うでしょうよ」

早口にまくしたてた後、仁美はまた椅子ごと背を向けた。

「持てる者は、持たざる者に鈍感ですね。『いいからつべこべ言わずに走れ』ですよ」

パソコンのキーを叩《たた》く、事務服の背中はとりつくしまもない。俺はそんなんじゃないよと、反射的に言いたかった。だが、ひどい拒絶を感じながらも、励まされたのは痛いほどわかった。

「結婚して」

「調子にのんなです」

基は自分のデスクに向かった。

自分が彼女の言うところの『持てる者』とは、残念ながら思えないが。それでも基のこれまでを認めた上で、立ち止まる暇はないと、ありがたくも発破を掛けられた形だった。

暗い液晶画面に目をこらすと、まだ消えていない、小さな熾火《おきび》のような光があった。

いけるだろうか。

さあ、もう一度思い出せ。そして一から考えろ。あの色々と差がある夫婦は、灘区の亜潟様は、本当のところどんな家を必要としているのか——。

梅雨時の小雨《こさめ》が降り続く日曜日、基は再び亜潟家のマンションを訪れた。

まもりは相変わらず愛想よくこちらを迎えてくれ、続けて会った家主の葉二は、まるで面接官だった。黒を主体にしたシャツとパンツ姿でテーブルにつき、絵になる男前の姿勢を崩そうとしない。

ベランダに見える野菜たちは、エアコンで閉めきった窓越しでも、緑旺盛に茂っているのがわかった。

「お話をうかがえますか、松川さん」

——来た。

まず最初に、基は謝罪から入った。

「前回は、お二人の意に沿うご提案ができなくて、誠に申し訳ありませんでした」

「いえ、そんな。わがまま言ってしまったのはわたしで」

「まもり、いいから」

葉二が短く制した。続けてとばかりに目でうながされる。基はありがたく続けることにした。

「前回の失敗は——すみません、失敗と呼ばせてください。それは恐らく、私がお二人のことをきちんと知ろうとしないで、リフォームのプランを作ってしまったことが原因です。ご主人がまとめて出された要望を、そのまま精査せず計画に反映させてしまいました。もちろんいただいたご意見は大切なものですし、それで問題ない場合もありますが、今回は致命的にまずかったのだと思います。結果、図面に落とし込む過程で、私の無知や思い込みが大量に入ることになってしまいました」

「無知や思い込み？」

「ええ。まずはそちらのベランダ菜園ですが、主に力を入れてらっしゃるのは、奥様ではなくご主人の方ですよね？」

野菜のクッキーを作って喜んでいた、可愛《かわい》らしい妻の方ではない。

「……うそ。葉二さん、言わなかったの？」

「別に誰がいじろうが、畑は畑なんだから関係ないだろうが」

「変なところで見栄《みえ》はるんだから」

そして妻もまた、年上の夫に守られてよしとしている、お飾《トロフィーワイフ》りでは決してない。

ああいう場で『夫に聞いて』『わたしだけでは決められない』と繰り返し言っていたのは、別に自分の意見がないからではなく、どちらの意見にも等しい重みがあるからだ。彼女はずっとパートナーの意思を尊重していた。

「お二人の場合、料理を作る割合もほぼ同じですし、共働きで家事全般助けあって暮らしてらっしゃる。本当の意味で対等な関係のご夫婦だとお見受けしました。それで、今回の修正プランです」

基はあらためて、間取りの資料を二人に提示した。

「二階にあったご主人の書斎を、一階のリビングに移しました。こちら、寝かしつけにも便利な畳スペースの脇ですから、キッチン側の奥様と連携してお子様を見ることができると思います。ご家族とコミュニケーションが取りやすいよう、壁の一部に室内窓を設けました。それと庭の『ミニ・ポタジェ』ですが――」

「ミニじゃなくなってる」

「はい。お二人の暮らしにとって、『育てて食べる』は、一貫したテーマのようなものだと思いました。そのため、一階リビングからよく見える場所に、亜潟家のシンボルとして移しました。初期の提案よりウッドデッキが少し狭くなりますが、ステップをつけて菜園に直行できる形にしたのと、キッチンに勝手口を設けて、直《じか》に野菜を収穫しに行けるようにしてあります」

「シンクと蛇口も、別で付けたか」

「泥のついた野菜なども、ここで洗ってから持ち込めるかと」

「それ助かる！」

まもりが前のめりでうなずいた。

「どうしたんですか、松川さん。なんだか急に……」

「ピントが合いましたか」

「はい。解像度が――」

まもりの指摘に、基は苦笑した。

「ご主人が紅茶の買い置きの場所をよくご存じだったのを、思い出したんです。それと椅子にかけてあったエプロンが、サイズ違いで二着ありました。色の褪《あ》せ方はほぼ同じだったかと」

「本当によく見てますね」

「記憶力には自信があるんですよ。見たものはだいたい忘れません」

そう。これを活《い》かそうとしなかった、愚かな自分なのだ。目の前のあるがままのものより、成形済みのパターンを信じた。こういうタイプにはこういう売り方と、セオリーと過去の数字で切り抜けようとした。

強く頭を打ったおかげで、今思い出した。勘違い野郎に備わったわずかな強みとして、どうかこの再提出が間に合ってほしいと切に願う。

「この上でもう一つ、ご提案してよろしいでしょうか。キッチンの高さの問題です」

「高さ？」

「はい。一般的に使いやすいシンクや作業台の高さは、身長割る二、プラス五センチだと言われています。見たところ現在お使いのキッチンは、日本で標準サイズの八十五センチのようですね。上背があるご主人が使うには、腰や肩などの負担が大きいのではないでしょうか」

まもりと葉二は、互いに顔を見合わせた。

「……そうなの？」

「いや、よくわからん。台所なんて、どこ使ってもこんなもんだろとしか」

「あ、でも言われてみれば葉二さん、よく腰叩いてた。あれ老化じゃなかったんだね、ごめんね」

葉二が派手に顔をしかめる一方、まもりは真剣に指折り数えはじめる。

「何センチにするのがいいんでしょうね。わたしの身長だと、高さ八十から八十五の間ぐらいが収まりいいのか。今のは高めですけど、許容範囲ですね。で、葉二さんの身長をだいたい二で割ってプラス五センチだと……うわ九十五!?」

「低いわけだわ」

「これでもかなり端折《はしょ》ってですよ。ど、どうしましょう。間を取って九十センチとかにします？」

「やめとけ。ここまで差がある場合の折衷案は、お互いストレスたまる未来しか見えねえぞ」

「じゃ、どうするんです」

「そこでです、亜潟様」

際限なく話が続きそうだったので、基はいったん割って入った。

「本来ですと、家事を担う方の高さに合わせるのが王道ですが、お二人の場合はどちらとも決めづらいですよね」

「はい……」

「へたすると二人がかりなんで」

「なので、リビングに対してキッチンの床を十センチほど下げて、段差をつけようと思います。こちらをご覧ください」

新しくキッチンの図面と、施工例をテーブルに用意した。

「シンクとガス台の規格は、この状態ですとご主人が使いやすい九十五センチです。ただ、足下に収納された踏み台を引き出しますと、床に段差がなくなってちょうど八十五センチ。奥様が作業するのに最適な高さになるかと」

この隠し踏み台ならぬ隠し床板は、作業エリアを三分割する形で設置した。たとえば長身の葉二が鍋の前に立ちながら、小柄なまもりがシンクやカウンターでサラダの準備をする。そういう時にも、互いに合った高さを選択することができるのだ。

リフォーム専門になる前の工務店時代、高資が新築の注文住宅として数件取り扱ったことがあると教えてくれた。この夫婦の状況を説明し、問題を解決する道はないかと頭を下げて相談したら、存外素直に知恵を貸してくれたことに驚いてしまった。

（親父《おやじ》――）

よく話を聞き、それ以上に観察し、自分が持っている知識やノウハウを総動員する。そこに周囲のアドバイスも足して編み上げた渾身《こんしん》の提案に、お客様が感銘を受け目を見張る。それが実際に『ある』新しい暮らしを想像してもらい、彼らが心踊らせている場面に立ち会うのはいいものだと思った。

「これは亜潟様が、今後も自分らしく生活していく上で、必要なリフォームだと思ったので提案いたしました」

葉二とまもりが、再び顔を見合わせた。

「……な？　だから言っただろ」

「そうですね。信じて正解でした」

つまりどういうことか。

あらためてこちらの目を見て言った、亜潟葉二の言葉が全てなのだろう。

「大変いいプランだと思います、松川さん。この方向で是非お願いできますか」

「──はい。ありがとうございます」

声が震えていないことを祈る。

それから先は、些細《ささい》なミスで先方の気をそこねたりしないよう、説明に漏れがないよう、よりいっそう慎重に話を進めた。

あらためて契約書を持って訪問することを約束し、亜潟家を辞した。

来る時は上った坂道を、今度は下る。途中、吐き気がするほど図面の中で見続けた『未来の亜潟邸』──その改修前の現物が、目の前に現れた。

これをうちで受けるのだ。

「……いよっしゃあああああ！」

天気は相変わらずの雨模様だったが、基は傘を振り回し、スーツ姿で快哉《かいさい》をあげた。どうにもがまんがきかなかったのだ。

その後の小話

葉二《ようじ》がキッチンで夕飯の支度をしていると、カウンターに置いたスマホが震えだした。

音声通話での呼び出しだったので、ハンズフリーの設定にして通話に出る。

「もしもし」

『プランニングホームの松川《まつかわ》です！　いつもお世話になっております。今、お電話大丈夫ですか？』

リフォーム会社の営業だ。葉二は天ぷら鍋から茄子《なす》を取り出しながら答えた。

「茄子を素揚げして、ぶっかけうどんを作ってるところですが問題ないですよ」

『それもベランダの野菜ですか？』

「そうですね。あとは大根をおろして、プランターから紫蘇《しそ》も取ってきて刻めば完成です。好みで花がつおか、生姜《しょうが》を少々ってとこですか」

『聞いてるだけで腹が減ってきますね。お疲れ様です』

リノベーションの依頼先が決まると、勢い不動産会社の担当以外にも、施工会社とのやり取りが増えてくる。実際に改修工事に取りかかる前に、外壁の色から洗面所のタオルバーの太さにいたるまで、決めなければならない細かい仕様が山ほどあるからだ。

たとえば今日は葉二が在宅勤務で家にいる日だが、日中はクライアントに値切られる側の仕事をし、終わればこんな感じで施主として業者を値切る側に回るわけだ。温度差に風邪を引きそうだが、これはこれで快感だと冗談を言ったら、先方の担当者は『お手やわらかにお願いしますね。怖いんで』と怯《おび》えていた。

『先日送ったタイルのサンプル。なかなかいいと思いませんか？』

「いいけど高い」

『そうおっしゃると思って、他で調整できる箇所を計算してみました。資料だけでも目を通していただけないですかね』

「……まあ見はしますけど」

『最近、だいぶ亜潟《あがた》さんが読めてきた気がするんですよ、自分』

「どんな？」

『コスパ重視というより、美は合理性に宿るってタイプかと』

悔しいが、なかなか鋭い。違うとは言えなかった。

営業担当者の松川基《もとい》は、その名前の通り松川《まつかわ》プランニングホームの跡取り息子らしい。前職は車のセールスマン。最初の印象は可もなく不可もなくの限りなく薄いものだったが、回を重ねるごとに話が通じるようになってきたのは嬉《うれ》しい傾向だ。

ヘタを取って半分に切った茄子に、細かく切れ目を入れて揚げる。これは短時間で茄子の火の通りをよくするための、ちょっとした細工だ。めんつゆは出汁《だし》をきかせて濃いめに作ったものに梅干しを叩《たた》いて混ぜ込み、冷蔵庫で冷やしてある。

お湯が沸いたところでうどん玉を二つ投下し、同時に大根の皮をむいて大根おろしを作っていると、ずっと前傾姿勢を続けていた腰に限界がきた。

「……とにかく、早く完成品に会いたいとこですね」

「本当にそう思いますよ。今回、個人的な思い入れであれなんですが、かなりいい仕上がりになると思うんですよ。この亜潟邸のリノベ」

その松川の案で入れたキッチンの改修で、腰の問題も解決するというならなおさらだ。

松川との通話を終えたところで、ちょうどよくまもりが仕事から帰ってきた。

「おう、いいとこに来たな。さっさと着替えて飯にしようぜ。今日は揚げ茄子入りのうどんだぞ」

まもりの好物の一つなので、てっきり万歳三唱でも返ってくるかと思ったが。

「葉二さーん……」

彼女はまるで幽霊のような顔色で、こちらの名を呼んだ。

「なんだよ。仕事でヘタこいたか？　それとも気分悪いのか？」

「そうじゃないの。そうじゃなくて……ほいくえんが」

「は？　なんだって」

「保育園の申し込みってさ、基本十月って知ってた？　わたし、お家《うち》のバタバタですっかり頭から抜けちゃってて」

ゆったりした通勤着でも目立つようになってきた腹のあたりをおさえ、まもりは半泣きであった。

「十月ってめっちゃ臨月じゃん。わたし里帰りしてるし。どーしよー」

――よくもまあ、後から後から問題を拾ってくるものだ。

三章　まもり、産んでもないのに預け先を探す。

例年に比べて遅めだった梅雨明けとともに、新しい家の引き渡しと登記が行われ、書類上は完全にまもりたちの持ち物となった。

同時に怖い怖いローンの支払いも始まったが、まだリフォームが済んでいないので引っ越しはお預けだ。八月に入ると建物のまわりに足場が組まれ、本格的な工事の音が響きだした。

（おお。壁に穴が空いてる）

朝、通勤で新居の前を通りかかるたび、職人が入る前の静まりきった現場の変化に目を見張ってしまう。あれは勝手口を作るための穴だろうか。

そうやって道の端に立って観察をするのはほんの数分だが、たったそれだけで強い日差しを全身に浴びた気になり、夏だなあと日傘片手にまた歩く。

これがすっかり涼しくなって冷え込んでくる頃、改築工事は終わり、このお腹《なか》の中にいる子供は産まれていて、今のマンションを引き払った上で新しい一戸建てに葉二《ようじ》と三人で暮らしているらしい。正直、怒濤《どとう》の展開すぎて来年の大河のあらすじでも聞かされている気分だ。いくらなんでも、短期間に色々と詰め込みすぎではなかろうか、わたしたち。

「……保活。保活かー……」

そして恐らく、全てが終わる頃にはこの問題も片付いていると思うが、現状ではさっぱり五里霧中なのであった。

――そもそもの始まりは、会社の先輩、杉丸《すぎまる》が昼休みに発した一言だった。

「ねえ亜潟《あがた》さんてさ、保活はちゃんとやってる？」

自分のデスクで三色弁当を食べていたまもりは、間抜けなことに意味をつかみかねた。

「は？　ぶかつ？　バド部でしたが？」

「いいわねー、私は軽音部……ってそうじゃなくて、保活よ保活。保育園。預け先ちゃんと確保できそう？」

「……それはまあ、今ちょっとバタバタしてるんで、産休入ってから考えようかなと」

「んまー、何言ってるのこの子は」

杉丸はまもりが入社した当時の指導係であり、産休育休から復帰して働くワーキングマザーとしても大先輩であった。その杉丸の呆《あき》れ顔《がお》に、まもりも初めて『保活』というものを意識したわけである。

助けを求める気持ちで、向かいの同僚にも声をかけた。

「馳川《はせがわ》さんの時は、どうでしたか？」

「高校はボランティア部」

「そうじゃなくて」

「うちは定員割れの田舎だったから、そこまで大変じゃなかったですけど。都会はやっぱり違うんでしょうねー」

朗らかに答える同僚の馳川は、先週ここ総務部人事課に異動してきた四十代の女性社員だ。

もともと岡山《おかやま》工場で採用されて、製造の仕事をしていたらしい。しかしご主人の大阪《おおさか》転勤に合わせて、本社に異動願いを出して受理されたそうな。本格的な事務の仕事は初めてとのことで、まもりの業務を引き継いでもらうべく色々と教えているところだ。

ご覧の通り、まもりが入社した時に比べ、人事課という小さな所帯も多少は変わった。採用担当のクールビューティー、伊藤《いとう》女史は続投だが、嘱託のおじいちゃん社員、大石《おおいし》は去年退職し、補充がないままもりも産休に入ろうとしている。

新しくやって来た馳川と、杉丸が時短からフルタイムに復帰することで、なんとか回していこうというのが、笠原《かさはら》課長の思惑らしい。

「いいこと、亜潟さん。あなたも知ってると思うけど、保育園って言うのは、0歳の四月入園が一番入りやすいの。むしろここを逃すと、全落ち必至ぐらいに思って動いた方がいいわ。なぜなら一歳の四月入園の枠は、0歳児クラスの子の持ち上がりでほとんど埋まっちゃうから」

「そうですよね。普通はそうなりますよね」

「だから九月に産休に入って、十月に出産予定の亜潟さんの場合、翌年の四月に認可保育園に入れて社会復帰するのが、一番鉄板かつスムーズなわけで」

「もー、あんまり舐《な》めないでくださいよ杉丸さん。一応わたしも、そのつもりで笠原課長には言ってますから」

「で、その場合の応募時期が、まさに十月から十一月にかけてね。書類は郵送でも受け付けてくれるけど、できれば役所の窓口に直接持っていくのをお勧めするわ。理由は中身に不備があった時、あちらは親切に電話なんてしてくれないから。問答無用で落とされるの嫌でしょ」

杉丸が裏紙のメモ帳に、図解付きで説明をしてくれた。そこでまもりもようやく、事態のやばさに気がついた。

「あの……わたし、その頃、実家の川崎《かわさき》に里帰りしてまして」

「書類には第何希望まで書かなきゃいけないから、それまでにめぼしい保育園を見学して、どこに子供を預けたいか絞りこむ必要があるわけ」

冗談じゃないと思った。

「もう時間ないじゃないですか⁉」

「そうなのよ。みんなこの時期から、施設見学とか行ったりしてるのよ」

「産まれてもないのに⁉」

「産まれてもないのに。亜潟さんの場合は」

まもりは、弁当の箸を置いて頭を抱えた。

「……えー、ちょっと待って。えー……」

「確かに秋冬生まれは、こういうとこ不利って言うわよね」

「見越して産む時期調整するって人も聞きますけど、なかなかねえ」

先輩マザーたちが、呑気《のんき》な世間話風に話しているが、そんな器用な真似《まね》できるわけがないのだ。

「やっと……家の問題がなんとかなりそうなのに……」

「ファイトよー」

「母は強しですよー」

なんと無責任な応援か。

そうしてまもりはその日、ゾンビのような足取りで帰宅したので、在宅ワーク日だった葉二にむちゃくちゃ驚かれたのである。

杉丸にああ言われてから、まもりも遅ればせながら『保活』なるものを始めてみようと思ったわけだが。

家から一番近そうな認定こども園の募集が、まさかの生後六ヶ月からで、まもりの予定日ではぎりぎり月齢が足りそうになくハンカチを噛《か》んでみたり。さらには他の施設の見学申し込みをしようにも、どこもやっているのは平日ばかりで、まだ仕事をしている上にお腹《なか》も重たい身としては、なかなか身動きが取れなかったりするのだ。

（役所の窓口は、切羽詰まってる人優先って感じだったしなー）

マルタニは比較的ホワイト企業で、有給の他に妊娠休暇も充分に付与してくれているが、初期のつわりがひどくて休みまくった身だ。毎月の妊婦健診でもお休みを貰《もら》っているので、産休前にこれ以上休暇を申し出るのは、たとえ半休でも憚《はばか》られるものがあった。

（かと言って見学なしの、ぶっつけ本番ってのもな……ちょっと怖いし）

そもそも第一希望の園に入れるとも限らないのだが、少なくとも『ここだけは嫌』という園は避けることができるだろう。そのための見学なのだ。

「……あ、メール来た」

会社の退勤前に、ようやく一件予約の連絡が来た。

「どうかしたの？」

「いえ、なんでもないです伊藤さん。お先に失礼します――」

素早くスマホを鞄《かばん》におさめ、上司と同僚に挨拶をして梅田《うめだ》のオフィスを出た。

色々ままならないものじゃのうと考えながら、帰宅のため神戸《こうべ》線の快速に揺られる。

そしてこういう時にかぎって、電車のダイヤは乱れ気味のようだ。

『――ただいま時間調整をしております。今しばらくお待ちください』

幸い座ることはできていたものの、一つの駅から電車はなかなか動かず、ドアが開いたままの車両にどんどん帰宅目的の人が乗り込んでくる。ようやく発車して六甲道駅《ろっこうみちえき》で下車するが、いつも以上の揺れと人いきれに、お腹の子もびっくりしてしまったようだ。

（こ、これはちょっと休もう……）

　安定した私鉄に浮気したくなるのは、こんな時かもしれない。

　体調が落ち着くまでホームのベンチで一休みし、あらためて改札を出ようとしたら、

「おい」と肩を叩《たた》かれた。

「今帰りか」

「葉二さん！」

　ストライプのシャツに夏物のジャケットを手に持った葉二が、こちらを見下ろしていた。

どうやら葉二も、反対方向の電車に乗ってきたようだ。

「なんか珍しいですね」

「かもな」

　同じJRを利用していながら、行き先が大阪駅と三ノ宮駅《さんのみやえき》で正反対ゆえ、帰りにばった
りというのは案外少ない。本当に珍しいこともあるものだと思った。

「ちょっとホームで休憩してたんですよ」

「大丈夫かよ」

「大丈夫になったから動いてるの。このままスーパー寄ってくれますかね。お夕飯なんに
も用意してなくて。葉二さんもでしょ？」

「了解。適当に買うか」

平日は在宅している者、あるいは早く帰ってきた方が夕飯を仕切るべし。これがまもりたちの鉄の掟《おきて》なのだ。

「……ねえ。もし子供が産まれたら、こういうのも変わっちゃうのかな」

「なんだ？」

「だってほら。わたし、会社に復帰してもしばらくは時短取るつもりだし。葉二さんと帰りが一緒になったり、葉二さんの方が早く家についてたりするの、なくなるわけじゃないけど、たぶんすごく少なくなるんだろうなって」

「んー、そりゃしょうがねえだろ」

「感傷的になってる場合じゃないんでしょうけどねー」

葉二に続いて、改札を通る。

ぼんやりと育休明けのタイムスケジュールも話し合っているところだが、出勤が遅めで帰りも遅いことが多い葉二が子供を保育園に送っていき、時短が取れるまもりがお迎えに行くのがいいのでは、というあたりで議論が止まっていた。果たしてそれでうまくいくのか、そもそもの計画に無理はないのか、なにぶん未経験の人間二人がいくら想像力を働かせたところで絵に描いた餅にすぎないともいう。

駅前のスーパーと、帰り道にある商店街で買い物をし、マンションに帰宅した。

道中の荷物を一手に引き受けてくれるだけでも、葉二がいてよかったと思う。

「葉二さん。わたしはおいなりさんと春雨《はるさめ》サラダを買いましたけど、そっちは夕飯になるもの何か買いましたっけ」

「これ、商店街で見つけたやつ」

葉二がまとめて持っていた荷物の一つを、まもりに差し出した。

エコバッグの中に、皮とヒゲのついたトウモロコシが数本入っている。

「……前にぺっちん瓜《うり》買ったお店ですよね」

「時々出物があるんだよあそこ。『ゴールドラッシュ』って品種らしい」

「確かに綺麗《きれい》なトウモロコシだけど……」

ヒゲ根はしっとりふわふわ、皮はピンと張ってつやがあり、切り口も白くてまだ新しい。

恐らく畑から収穫して、それほど時間がたっていないと見た。

しかし夕飯というにはほぼ素材というか、直接的すぎないだろうか。

「まあいいです。蒸籠《せいろ》で蒸《ふ》かせば、一品にはなりますよね」

「それなんだけどな、ちょっと違うやり方を試してみたいんだわ」

――え？

実際着替えてキッチンに集合すると、葉二は愛用の蒸籠ではなく、フライパンを用意した。

「トウモロコシのヒゲ根はつけたまま、皮は最後の一、二枚だけ残してだいたいむいて、そのままフライパンにセットするわけだ」

「ま、まるごとですか？」

「そういうこと。で、ひたひたぐらいに水入れて、皮の下の粒が黄色く透けて見えるぐらい茹でたらできあがり」

「はー、確かにそれはお初かも……」

葉二はガスの火をつけた。

「今のうちに、ぱっぱと汁物も作っちまうか。オクラ二本だけ収穫してきてくれるか？」

「ねえ葉二さん、わたしもうお腹ぺこぺこなんですけど。インスタントでいいんじゃ——」

「大丈夫すぐできる！」

本当か。信じるぞ。

空《す》きっ腹《ぱら》だが重たいお腹という矛盾した体を抱え、まもりは夜のベランダに向かった。

面倒くさいのでザルもヘッドライトも省略し、なんとなくの手探りでオクラらしきものをハサミで収穫し、明るい部屋の中に戻ってくる。あらためて見ると、ちょっと小さくて失敗したかと思った。

「葉二さーん、こんなんでもいいですか」

「おうサンキュ」

葉二は受け取ったオクラを洗い、ヘタを切り落として薄切りにした。

「で、お椀《わん》二つにとろろ昆布を入れて、醬油《しょうゆ》をそれぞれ一回し」

「直《じか》ですか」

「そう。切ったオクラも入れて、小鍋に二カップだけ沸かした熱湯を注ぐ」

湯気がたつお湯が注がれると、椀の中でオクラととろろ昆布がぐるぐると混ざり、気がつけば緑色の星が泳ぐ立派な吸い物ができていた。

「えー、お出汁《だし》入れないんですか。オクラこれで食べられるんですか」

「いけるいける。とろろ昆布だから、旨《うま》み成分のグルタミン酸たっぷりだぞ」

「うさんくさい……」

「オクラも熱湯かけたから問題なし」

しかも小鍋は少量のお湯しか沸かしていないから、さっと拭いて棚に戻せるというわけか。これでいいなら楽ちんだ。

「そろそろトウモロコシも食えそうだ。いなり寿司《ずし》と春雨サラダ、テーブルに出してくれないか」

「はいはいお待ちを」

まもりはお惣菜《そうざい》パックを取り分けるべく、買い物袋に手をのばした。

そうして皿に並べ直す『五目いなり』をしげしげ見ながら、あらためて思った。

「──関西のおいなりさんって、なんでか三角形ですよね」

実家や練馬《ねりま》にいた頃は、油揚げを縦に切ってご飯をつめた、四角いいなり寿司が主流だった気がする。しかしこちらに来てからは揚げを斜めに切った、三角のいなり寿司もよく見るようになった。

「四角いのは稲荷《いなり》神の米俵を表してて、三角はキツネの耳を表してるって聞いたことがあるぞ」

「え、そうなんですか？」

「諸説あるらしいから、適当に聞いとけ」

葉二は結論を避けたが、三角いなりがおキツネ様のお耳というのは、なかなか可愛《かわい》い仮説だなと思った。

なんにしろ、関東のシンプルないなり寿司に比べると、こちらのおいなりさんは人参《にんじん》だ椎茸《しいたけ》だと具だくさんな傾向で、食べ応えがあるのだ。

「熱っ」

「大丈夫ですか」

「トウモロコシの皮剝こうとしたんだけどな」

「気をつけてくださいよー」

葉二はまな板の上で、火傷《やけど》しかけた指を振っている。ヒゲと皮を取り除いて全体に塩を振り、食べやすい大きさに切ってから大皿に盛った。これで今夜のディナーは全て完成となった。

「おいしそう。いただきまーす」

テーブルに運び、さっそく熱々のところをいただく。

わざわざ葉二が『試してみたい』と言った、新作茹でトウモロコシだ。皺《しわ》一つない実に遠慮なくかぶりついてみると、しゃきしゃきして大層甘かった。

「うわ、これは激甘では？」

最後に振った塩が単なる塩味ではなく、甘味をより引き出す意味での触媒の役を果たしていた。とにかくトウモロコシ一粒一粒の味が濃い。

「皮をちょっとだけ残すのがこつでな、青臭くならずに旨みを閉じ込めるんだと」

「なるほどー。確かに皮ごとなら、うちのラインナップじゃフライパンぐらいしか入りませんね」

「蒸籠で蒸すより時短になったしな」

葉二らしい動機である。

「ただ、葉二さん。こうなると悩ましいですよ。いいトウモロコシを使ったから甘いのか、それとも今回の茹で方が当たりだったから甘いのか」

「……両方ということにしておこう」

「今度食べ比べてみましょうね」

速さ重視で作ったオクラのお吸い物も、出汁は入れていないが葉二の言う通りとろろ昆布が代わりを果たしてくれ、オクラも火が通ってトロトロのねばねば、口当たりのいいすまし汁に仕上がっていた。

お惣菜の春雨サラダも、おいなりさんも安心の味わいだ。これらを食べながら今日あったことや、連絡事項を伝え合った。

「リフォームの松川《まつかわ》さんからメールがあってな、海外からの輸入コンテナが滞ってるせいで、部品の入荷が一部遅れそうなんだと」

「どこも一緒ですね……って言ってる場合じゃないんでしょうけど」

「まあ加減みながら、ケツ叩《たた》いておく方向でいいか」

「すみません、そういう交渉ごと苦手なんで、お願いします」

基本はなんでもできるようになった方がいいとは思うが、どうしても得手不得手はあった。不動産の契約やリフォームの細かい仕様の決定は、当初から葉二が主体になって進めてくれている。

「わたしからも一個ありましたよ。さくら保育園の見学予約が取れたんで、ちょろっと見てこようと思います」

「なかなか予定が合わないとか、ブーブー言ってたやつか」

「まあ里帰りする前に診断書取らないといけないし、妊婦健診ではお休み貰《もら》うんで、チャンスがあるならそのあたりかなーと」

「あんま調子のって詰め込むなよ。俺と手分けするって手もあるんだからな」

「それだと見てない方が気になっちゃうから、やっぱり条件はそろえたいというか」

マイホームの面倒なところを任せているぶん、せめて自分自身とお腹《なか》の子供に関することぐらいはちゃんとしたいなという気持ちはあった。

まもりが川崎にいてできない保育園の申し込みや、産まれた後の出生届などは、彼にお願いしなければならないのでなおさらだ。

さらにこの人の場合、新居への引っ越しやそれにともなう諸手続きも、まもりが実家に帰っている間に一人でやると言っている。会社の仕事と、並行しながららしい。

「……人の顔に何かついてるのか？」

「超人か無謀な人かの見極めって、どうしたらいいんでしょうね」

「ケンカ売ってるのか？」

売ってない。心底知りたいだけだ。まもりは首をかしげた。


——そして。いざ目的の保育園を訪れると、案内された教室には同志らしい女性がすでに沢山いた。

（うわっ、見学の人いっぱいだー）

同志というか、同じ枠を争うライバルというべきか。

ここまで汗だくで歩いてきたせいで、クーラーのきいた部屋の涼しさが身に染みるが、園の職員を含めた全員の視線が突き刺さったので、なんとなく小さくなって集団の一番後ろについてみる。

「全員そろったみたいですね。それでは本日はお暑い中——」

場所は最寄り駅の反対側、徒歩十五分。預かり時間も延長がないので、不人気の園かと思っていたが、この見学者数を見るとそういうわけでもないのだろうか。

園長の説明を受けた後、実際に園庭や各教室を廊下の窓越しに見学させてもらうことになった。

「こちらが0歳から一歳児のクラスですね」

なんだ。どこだ。ぜんぜん見えないぞ。

こういう時にチビは辛《つら》い。ぎゅう詰めの人の間から苦労してのぞき込むと、プレイマットが敷かれたサークルの中で、ころんころんの赤ちゃん達がころんころんと転がって遊んでいた。

(うひゃー、かっわいいー……！)

お座りで玩具をいじったり、ハイハイで動きまわったり。見た瞬間、疲れがいっぺんに吹き飛んだ。

狭いスペース内の常にどこかで愛らしい泣き声が聞こえ、保育士さんに抱っこであやされている赤ちゃんもいて、まもりはふれあい動物園のウサギやモルモットを思い出してしまった。

(玩具も多そうだし、教室も明るくて綺麗《きれい》だし、実はいいとこ……？)

二歳児クラスはやや活動的になり、先生と一緒に手遊びをしていた。こちらも口元がゆるむ愛くるしさだ。

まもり自身は弟こそいるものの、出身は幼稚園のため、ここまで大勢の小さい子たちと一緒に育った記憶はない。三歳児以降のクラスになると、ようやくまもりも知る世界になってくる。壁に貼られた絵や工作が、みな力作だ。

見学列の最後尾で、園児画伯の作品に見入っていたら、すぐ側で赤ん坊がぐずる声が聞こえた。

「……あ、あー、もうちょっとがまんして。あと少しだから」

見学中の女性が、最前列からこちらまで歩いてくる。抱っこ紐《ひも》の赤ん坊を、懸命にあやしていた。

大きなお腹で見学するのも大変だが、産まれてからの保活も大変だと思った。

「──赤ちゃんお腹空いたんですかねえ」

一人でしんどそうだったので、思わず声をかけた。

女性ははっとした表情になり、それから苦い笑みを浮かべた。言われるまで、まもりの存在にすら気づかなかったのかもしれない。

「……たぶんおっぱいだと思うんですけど。すいませんうるさくて」

「いえ、全然です。可愛いし」

「よかったね、しゅーちゃん。お姉ちゃんに褒めてもらったよ」

『しゅーちゃん』は、まだまだご機嫌斜めのようだ。

「産まれたばっかりじゃ、時間なんて関係ないですもんね」

「ほんとですよ。夜泣きとかもすごいんで……」

「今何ヶ月ぐらいなんですか？」

「この子ですか？　先週五ヶ月になったところです」

まもりはもう少しで、『うっそ、マジで』と言うところだった。がまんした自分は偉かったと思う。

0歳児クラスの赤ん坊に比べ、目の前の赤ちゃんが本当に小さかったので、てっきり生後三、四ヶ月ぐらいかなと思ったのである。

まもりの出産予定日は、十月でも下旬の方だ。予定通りに産まれるとは限らないが、生後五ヶ月ちょっとの赤ちゃんとなると、まもりが予定日に出産し、四月入園で子供を預ければ、まさしくそのあたりの月齢になっているかもしれない。

こんな感じなのか――。

「もう寝返りとかできるんですか？」

「まだ駄目ですね。早い子はできるらしいんですけど」

さきほど覗《のぞ》いた時は、一番小さい子でも、お座りやハイハイで遊んでいた気がする。

（……あ、でも待って。四月に入って今が八月だから、あの教室にいるのは最低でも生後八ヶ月以上の子なのか――）

たった数ヶ月の差で、ここまで違うものなのか。

「三月生まれだから、0歳で入れるのが無理だったんですよ。仕方ないから一歳児クラスから入れようと思ってますけど、たぶん激戦ですよね――」

「噂《うわさ》には聞きますよね……」

「まああんまり小さいうちから預けるのも、私の方が感情移入しすぎて無理なんで。だっていくらなんでも可哀想《かわいそう》ですよね。だからいっそ割り切れて良かったのかもしれないなって」

我が子をあやす彼女は、これから産むまもりが、その『小さいうち』に子供を預けようとしていることまでは、頭が回らなかったのだろう。決して悪気などはなかったはずだ。

「私のことはいいですから、見学行かれたらどうですか？　ほら、この後給食室を見せてくれるらしいですよ」

けれど、その何気ない一言が、結果として長いことまもりの中に残り続けることになるのだ。小さな小さな棘《とげ》となって。

(保活、か)

けっきょくのところ、みんな自分自身の都合なのだ。

午後から妊婦健診で診察を受けたが、まもりはその間ずっと都合の意味について考えていた。

道があっているなら、別にいい。でも、もし万が一間違っていたら、いったいどこで引き返すのが正しいのだろう――。

＊＊＊

「どうしたもんかな、こりゃ」

せっかくの貴重な休日。葉二は部屋着のジャージ姿でベランダに立ち、うっそうと茂る鉢やプランターの有様《ありさま》を眺めていた。

八月いっぱい続いた猛暑に加え、ここしばらくばたばたし続けたせいか、野菜は全般的にお疲れなように見えた。だいぶ葉の方が傷んできている。

「ったく。ちょっと手入れさぼるとこれだよ……」

遅ればせながら、本腰を入れて鉢の前にしゃがみこむ。

まだ収穫が期待できる果菜類のオクラやシシトウ、茄子《なす》やトマト関係は、傷んだ葉を取り除いて風通りをよくし、脇芽をつんで枝を誘導し直す。これで今後の生長をコントロールし、さらに枝の上で完熟までもっていくスタミナを維持してもらうため、追肥も忘れずに施した。

(このエンドウマメは……もう豆も全部食い切ってやることやったんだから、始末してもいいよな)

ついつい枯れるに任せて、放置してしまった。ベランダ菜園において、無駄なスペースというのは万死に値するというのに。全体的に固くなってきた紫蘇《しそ》と合わせて、株を抜いて処分することにした。

空いたスペースには、何を植えるのがいいだろう。秋植えのジャガイモ、あるいは芽キャベツ、いっそ春に失敗したパースニップとルートパセリのリベンジもいいか——そんな妄想栽培計画を展開し始めたところで、もう一人の自分が待ったをかけた。

(バカ、やめろ。今はそれどころじゃないだろ)

これから新居への引っ越しを控えているというのに、規模を維持してどうする。減らせ減らせ。

そう。どんなに魅力的な種や苗が入荷しようと、涙をのんで減らすのだ。しばらく園芸店にも行かない方がいい。誘惑が多すぎる。オンラインショップのチェックも、全て事が終わってからだ。

「葉二さーん、ちょっと後ろ失礼しますよー」

——あまりに悲しすぎるため、せめてサイクルの短い葉物ならいけないかと往生際の悪いことを考えていたら、まもりが背後の狭いスペースを通っていった。

「おいなんだ、洗濯物か？」

「あー、どうもすいません」

「危ないから貸せ、俺がやるから」

九月に入ってまもりの腹はいよいよ大きくなり、そんな体で洗濯物をぶらさげたピンチを両手に持って歩かれると、危なっかしくて仕方なかった。

かわりにベランダの高いところにある物干し竿《ざお》に、ピンチのハンガーをかけてやる。

ふだんは洗濯機の乾燥機能を使うか、寝室側の小さいベランダに干すことが多いので、ここに洗濯物を干すのはかなり珍しいことだった。

「乾燥機使わなかったのかよ」

「赤ちゃんの肌着とバスタオル、新品だから水通ししたんですよ。こっちの方が日当たりいいから」

手洗いしたらしい洗濯物が、午前中の日差しと風を浴びて揺れていた。

「ふうん……色々手間だな」

「川崎《あっち》でなんでも用意するから大丈夫って母は言うんですけど、やっぱりほら、自分で選んだものも着せてあげたいじゃないですか」

その気持ちは、葉二もわかる。

里帰り先に送る荷物に、着替えの一部として入れておくつもりらしい。

「しかしま……どれもこれもちっこいな。布巾かってサイズだ」

「ですよねー。これがぴったりなんですって。信じられない」

「できるだけ小さい方が、まもりとしちゃありがたいんじゃねえの。楽に産める」

「限度ってものがあるでしょう。パンダやカンガルーじゃないんだから」

「有袋類に生まれたかったな」

「産休も短そうですよね。ポッケに赤ちゃん入れて出勤するの」

淡いパステルカラーのコンビ肌着を見上げ、まもりは一見して機嫌がよさそうだ。葉二のしょうもない冗談にも笑っている、いつもの亜潟まもりである。

しかし、最近になってその屈託のない笑顔が曇りがちなことを、葉二も薄々ながら感づいていた。

　たとえば洗い物の途中や、ヨガの深呼吸にまぎれて、こっそりため息をついていたりする。原因は決して口にしない。今までの経験から言って、あまりいい傾向ではなかった。

「なあまもり」

「ん？　なんです？」

「何か心配事や言いたいことがあるなら、言ってもいいんだぞ」

「そ――」

「もし俺に不満があるなら、ちゃんと聞くから。話してくれ」

　まもりは絶句した。

「そんなことないし！」

「俺が基本的に雑で配慮に欠ける奴だってのは、自覚してるんだ。いちいち言ってくれなきゃ駄目なのは申し訳ないが、聞く気はいつもあるんだこれでも」

「そうじゃないよ。葉二さんはいつもすごく優しいよ。忙しいのにがんばってくれてるよ」

「じゃ、何に悩んでんだいったい」

　単に出産を控えて、情緒不安定になっているだけならまだいいのだ。それでもその後生大事に抱え込んでいるものを、何割かでもこちらにも分けてもらえないものだろうかと思う。亜潟まもりの夫として、家族として。

(シャッターだけは下ろしてくれるなよ)

言われたまもりは、その場で口をへの字に曲げた。怒るというより何かを堪《こら》えたいのだろうが、およそ美人の造形からほど遠い耐え方だ。

「おい、まもり」

「……あの、わたしすごい面倒くさいこと言いますよ。きっと甘えんなってなると思います」

「いいぞ別に。なんでも言えって言ったのは、こっちだからな。どうせならぶちかましてくれ」

「お家《うち》のこと、葉二さんに色々任せっきりだから、せめて子供関係の方はちゃんとやろうって保活もしてみたんですけど……ほんと何やってんのかって感じですよ」

「だから何?」

「──四月に預けるの嫌になっちゃって」

ひどい罪を告白するように、身を縮こまらせてまもりは言った。

最初の保育園見学で、ちょうど自分が預ける頃合いの赤ん坊を目の当たりにして、迷いが出てきたらしい。

「だって本当にちっちゃかったんですよ。あんな寝返りも打てない子と離れなきゃいけないって思ったら……」

「どうにも抵抗が出たと」

まもりは無言でうなずいた。

「もっと早くから預けてる人だっているし、仕事どうするんだって、自分に言い聞かせてみたんですけど、いったん嫌だって思ったらどこの保育所見ても同じような感じになっちゃって。選べないんです。ごめんなさい、わたしだけの問題じゃないのに」

「なるほどな……」

「こんなことなら、葉二さんに見に行ってもらえばよかった」

「やめとけ。それは絶対違うから」

うつむこうとするまもりを止めるべく、こつんと軽く頭を叩《たた》いた。

「俺が決めたなら仕方ないって、そんな嫌々従うようなのは俺だってご免だぞ」

「……それは、そうなんだけど。ごめんわたしずるいね」

「子供を預けること自体が嫌なのか？　それとも小さすぎるのが嫌なのか？　まもりとしてはどっちなんだ？」

自責の念にかられている彼女には、問題の切り分けが必要な気がした。

問いかけを受け、まもりは懸命に考えはじめた。

「……一歳、とは言わないけど、せめてあと二、三ヶ月たってたらって思った」

「預けること自体はまあいいと」

「今は……もうちょっと体がしっかりしてからって……」

なるほどね、と思う。

「今回は応募を見送って、途中入園で枠が空くの待つって手はあるだろ」

「いつ空くかなんてわかりませんよ。入りやすいこの機会を逃したら、一歳になっても二歳になっても決まらない可能性だってあるかもしれない」

「そうなったらどうなるんだ？」

素直に問い返したら、まもりは瞬間言葉に詰まった後、苦しげに絞り出した。

「……最悪、会社……辞めなきゃいけないかも」

「そうか」

「いつまでも休めるわけじゃないもの。本当に決まらなかったらそうするしかない。長引いたら向こうだって困る」

「あのな。これを言ったらおまえは今度こそ怒るかもしれねえけど、俺はまもりが辞める選択肢を選んだって別にいいとは思うぞ」

彼女がこんな風に追い詰められているのは、心のどこかでその選択肢に気づいていて、けれど決して触れてはいけないと思っているからではないだろうか。

会社を辞めることは許されない。ならば絶対安全策で0歳の四月入園がマスト。でもそれは嫌だ。どうにもならない板挟みのジレンマの中で、タブーの解決法が頭をよぎらないはずがない。

末代まで恨まれる覚悟で、葉二はその領域に土足で踏み込んだ形だった。

結果、まもりはへの字を通り越し、静かに泣き出した。

「そんなの……辞めたくないよ……がんばって入ったとこだもん。そんな簡単にできないよ……」

「わかってる。でもおまえが思いついたのは、ぜんぜん間違ったことじゃないって言いたかったんだ俺は」

結果は二人で受け止める。その上で選択肢は一つでも多く作って模索するのが、自分たちのやり方だったろう。

「そうだな。いっそ俺が面倒みるって手もあるな」

「はっ？」

「いいだろ別に。おまえが仕事行って、そのあいだ俺が主夫になって家で子供の世話するんだ。できないと思うか？」

「……い、いいえ。たぶんできるんじゃないかな……葉二さんなら……料理わたしよりうまいし、掃除洗濯なんでも……」

まもりは面食らった顔のまま、しかし素直に検討を始めている。こういうところがまもりの面白いところなのだが、途中で我に返ったようだ。

「で、でも、簡単に辞められないのは葉二さんも一緒でしょ！　自分の会社だよ！　お家のローンだってあるし！」

「じゃあ赤ん坊、事務所に連れてくか」

口がへの字の次は、Oの字かと思った。我が妻ながら忙しい顔芸だ。

葉二は腕組みして続けた。

「たとえば社内託児所とか、福利厚生目的で作るところあるだろ。ああいう感じで保育スペース作って、シッターを雇う」

「利用第一号が社長ですか……」

「そう。俺一人じゃ費用がペイできないなら、近くの事業所に話持ちかけて、共同の託児所にしてもいいし。お、わりと行けねえかなこれ」

思いつきだが、悪くない案に思えた。葉二が職場として借りている北野《きたの》の物件は、事務所利用可のマンションで、上にも下にも様々な業種の会社や個人事務所が入っているのである。近隣は少人数で回している、カフェや美容室も多い。あそこの人たちに声をかけるだけでも、そこそこの需要はありそうだ。

まもりは両手で顔を覆って、ため息をついた。

「……やだもう、これだから会社作っちゃう人の考え方は……」

「なんてな。ようは最悪のパターンの覚悟ができたら、逆になんでもできる気にならないかってことだ」

これもあくまで、選択肢の一つにすぎない。実際にやろうと思えば、困難も仕事量も倍増するだろう。だが、本当に必要なら進む覚悟はあると伝えたかった。

さきほどまで泣いていた妻は、今はなぜか気が抜けたような顔をしている。

「葉二さんて、すごいよね」

「信じてねえ顔だな。俺は本気だぞ」

「うんでも、ありがとう。ちょっと楽になったっていうか、元気出たかも」

できればそういう台詞《せりふ》は、もっと目を輝かせて言ってほしい。

彼女が望んでいた答えとは、微妙に違ったのかもしれない。

だがしょうがない。これが鈍感な夫の精一杯であり、まもりには泣くより笑っていてほしいのだ。できれば心から。

「あー、すごいよ葉二さん。もう端っこの方、乾きはじめてるかも」

産まれてくる子供の肌着に触れ、まもりが相好を崩した。いい傾向だと葉二は思った。

こちらも釣られて笑い返した。

＊＊＊

——葉二の言うことは、無茶苦茶だが本当だと思った。人間最悪のパターンを覚悟すれば、たぶんなんでもできる。

残り少ないマルタニの出勤日、まもりはまもりなりの覚悟を決めて、先輩の杉丸を社外ランチに誘った。

会社近くにできたばかりのイタリアンで、一緒に食べた杉丸いわくピザの生地が最高、とのことだが、まもりはあまり食べた気がしなかった。どう自分の話を切り出すべきか、そのことだけを考えていたから。

「それで？　何か相談したいことがあるんだよね」

けっきょくデザートが来る段になって、杉丸の側から聞かれたのは、良かったのか悪かったのか。

「……実は……保育園の申し込み、今回は見送ろうかと思って」

「えっ、どうして？　来年四月に復帰って話だったでしょ」

「そうです、わかってます。変に引き延ばしたりしても、入りづらくなるだけだって。でもどうしてもわたし、その時期に預けるのが早すぎる気がして。せめてもう少し大きくなってから復帰したいんです」

まもりの話を聞く杉丸の表情が、目の前で変わっていく。

不意をつかれた驚きの次は、冷静に現状を把握し、それから諭しにかかる。

「……あのさ、亜潟さん。あなたは今、それが一番いいみたいに思ってるかもしれないけど、産んでみたらまったく変わるかもしれないよ？　私なんてほら、乳児と一対一のワンオペ辛《つら》すぎて、予定より早く育休切り上げた人間だし」

まもりはうなずく。

「でも保険で応募して、辞退する方がよくないと思うんです」

「預け先が見つからなかったり、変なところにしか空きがなくて、あの時ちょっとがまんして預けときゃよかったって思うかもしれない」

「……それも覚悟の上です」

「もっと視野を広く持とう。いい？　夫婦と、ジジババと保育園のみんなで一人を育てるの。ぜんぜん可哀想《かわいそう》なんかじゃないよ。私は早めに預けて良かったって、本気で思ってる」

経験者にして人事課のエースが言うことは、まったくの正論だった。

「夫とも相談しました。その上で今じゃないと思うんです。仮に会社にご迷惑かけることになるなら、退職も視野に入れて」

「本気？」

「はい」

「ちょっ、ちょっとやめてよ亜潟さん！　はやまらないで！」

杉丸が悲鳴をあげた。

「そんなすぐ辞めるなんて言わないでよ！　子供一人預ける抜け道なんて、いくらでもあるんだから！」

「……え、でも、四月に預けないと駄目だって……」

「私は王道の必勝パターンを教えただけだって。亜潟さんが、ガチで真面目に考えてるのはよくわかった。なら別の方法を考えよう」

杉丸は職場で裏紙のメモを持ち出すように、皿を脇によけ、紙ナプキンをテーブルの上に置いた。

「まず今のところ、亜潟さんは親と同居なしのフルタイム共働き。審査で有利なのは、ここだけね。今時は、会社員もフリーランスも区別つかないし。上に兄弟がいれば兄弟加算がつく場合もあるけど、第一子だから意味なし。いっそ旦那が単身赴任してくれるといいんだけどな——」

「いやっ、それは無理です嫌です」

「はいはい、仲良くて結構」

冗談ではない。大事な戦力なのだ。

「そうなると希望の認可保育園に入る方法だけど、一時的に認可外に預けて実績作るってのはどう？」

「と言いますと？」

「たとえば異動や転勤で空きが出やすい九月とかに、多少の出費は覚悟で認可外の保育ルームとかに子供を預けて復帰する。そうやって高いところに預けてでも仕事したいんですって姿勢を見せとくと、復帰済みの加算がついてその後の一歳児クラスに入りやすかったりするわけよ」

紙ナプキンにボールペンで、まもりの仮復帰ルートが描かれた。

九月。それなら四月の小さいうちに預けるより、ずっと長く一緒にいられる。一番最初に検討して、微妙に月齢が足りなかった近所のこども園も、一歳から応募できるかもしれない。

「……うちの夫、どうしても空きがなかったら、自分で託児所作るとか無茶なこと言いだしてて」

「わー、勇ましい。でも大変だから、手堅いルートも確保しておかないと」

そう。たぶんそれは、平凡代表のまもりの役目だ。

「確かに0歳から認可に入れた方が、色々と持ち上がりで安心安全だよ。でもさ、0歳ってとにかく手がかかるから、一クラスで預かれる数にも限度があるわけよ。たとえば保育士一人に対して、0歳児は三人までって配置基準があるぐらいだから。それが一歳とか二歳になると、倍の六人にまで増えるのね。つまり受け入れ人数も格段に増えるから、そこまで怖がる必要もないのよ亜潟さん」

杉丸の呼びかけが優しくて、まもりの内側で張り詰めていた何かが切れると同時に、視界が水っぽくにじんでいった。

「すみません。自分一人のこんなわがままで辞めなきゃいけないのかなって、それはすごく悔しく思ってたから……」

「ごめんごめん。脅かしすぎたね。泣かないで」

「ありがとうございます、杉丸先輩……っ」

「安心して産んできなね。待ってるから」

入社四年目。会社近くのレストランでぴーぴー泣く、困った後輩になってしまった。

昼休みぎりぎりで社に戻り、杉丸と一緒に一階の上りエレベーターに乗り込んだら、中にいたのは営業部長の『女帝』であった。

「あら、あなたたち——」

抑えた声ながら、響きが明瞭でよく通る。

彼女の名は、山邑花子《やまむらはなこ》。常に原色のハイブランドで武装し、ここマルタニでは絶対的な権力を誇る女性である。

入社時は営業部所属だった杉丸は、引きつった笑みで「ご無沙汰しております、山邑部長」と挨拶をした。まもりは大きな声では言えないが、彼女のお宅の畑で草を抜いたり野菜を貰《もら》ったりする人間だ。

花子はまもりを一瞥した。

「ずいぶん大きなお腹《なか》ね、そろそろ産休？」

「はい、そうです山邑部長。お休みをいただいたら、復帰してまたがんばります」

役員である花子への返事に、偽りはなかった。そう心から言える会社にいて良かったと、あらためて思った。

「当たり前でしょう。なんのために制度があると思っているの」

「そうですよね――」

彼女もまた一児の母であり、休業と復帰を『当たり前』にするために尽力してきた人の一人だった。部下の杉丸世代が利用実績を作り、そして今度はまもりだ。きっと道はそのたびに、強く踏み固められていくに違いない。


そのまま翌年九月復帰予定で上司の了解を取り、後任の馳川に業務を託して産休に入った。

川崎に帰る前夜は、ちょっとだけ豪華な夕飯にした。

しばらく葉二の料理は食べられなくなるし、何よりまもりの場合、『六甲壱番館』の部屋とは、これでお別れになってしまうからだ。

二人で準備をする間、葉二は翌日のことを何度も確認してしつこいぐらいだった。

「なあ。やっぱり俺も、あっちまでついていった方がいいんじゃないか？」

ベランダで野菜を収穫しながら、葉二が食い下がる。まもりはキッチンのガス台から、何度目かの返事をした。

「新神戸駅《しんこうべえき》まで車で送ってくれるだけで、充分なんですけど。帰りはともかく、行きは一人で電車乗るだけですし。交通費がもったいないですよ」

「でもな――」

当人が戻ってきたので、鼻先にキッチントングをつきつけてやる。

「そんなことより葉二さん、本当に一人で引っ越し大丈夫なんですか？　わたしなんにも手を付けてないですよ、荷物とか手続きとか」

「やるって言ってんだから任せろ、しつこいな。あと油飛んだぞ」

お互いがお互いをしつこいと言っているのだから、世話がなかった。

「とりあえず豚のスペアリブ、塩胡椒《こしょう》してフライパンで焼いてます。こんなんでいかがでしょう」

「おお。だいたい焦げ目がついたら取り出して、フライパンは脂をぬぐっておいてくれ」

「葉二さんは、外で何を収穫してきたんですか」

「これ。夏物在庫一掃処分って感じだな。ミニトマトと茄子《なす》と、葉物でパクチー」

「どれがおかずで、どれが副菜の野菜なんですか」

「まあおいおいわかる。途中で気が変わるかもしれんし」

素晴らしいアバウトさだ。

まもりが指示通り、スペアリブから出た脂をキッチンペーパーでぬぐっている間、葉二が洗った茄子のへたを取り、手早く四つ切りにした。

「ここからが味付けだ。この空いたフライパンにニンニクチューブ一絞りだろ」

続けて酒、みりんと醬油《しょうゆ》、ごま油と砂糖を入れた。

「あとは水と——そうだ肝心のコチュジャンだ」

冷蔵庫から、ちょっと賞味期限が怪しいコチュジャンの瓶を出してくる。

「買ったはいいけど、なかなか減らなかったですもんね——」

「これも在庫処分だな」

瓶の底に残ったコチュジャンも、お水で伸ばして綺麗《きれい》に鍋の中へ投入された。

すっきりさっぱり清々しいが、処分品ばかりで『ちょっと豪華な夕飯』の趣旨はどこに行ったかと思わなくもない。

フライパンに火をつけ、一煮立ちしたところで、まもりが焼き付けておいたスペアリブと、ベランダの茄子を入れた。

「このまま茄子がくたくたになるまで、返しながら煮るとよし」

「ミニトマトはどうします？」

「そうだな――へた取って四分割する。あと中の種をしっかり取る」

「わかりました。生で食べるんですね」

「いいから手を動かせ」

トマトが苦手な亜潟葉二。加熱して食べる時は、こんなに細かい指示は出さない。まもりは生だろうが丸ごと食べてなんら問題がないが、武士の情けで綺麗に種やゼリー部分をこそげ取ってあげた。

「できたか？」

「こんな感じで」

「俺が今、胡麻《ごま》をすったところだから、ここに醬油だろ、クリームチーズ、おかかをミニトマトと一緒に和《あ》えて一品完成」

「おお、トマトの胡麻和《ごまあ》え？」

非加熱のフレッシュチーズは、妊婦的にはNGなのだが、今回は加熱処理済みの国産チーズを使ったようだ。このクリームチーズとおかかのおかげで、和風の胡麻和えとも洋風のサラダともつかない、面白い副菜ができあがった。どちらも旨《うま》みたっぷりな具材なので、おいしいだろうことは想像がつく。

そうこうしているうちに、炊飯器から炊き上がり音がした。

（これは、わたしの管轄ですよ――）

炊飯器の蓋を開けると、トウモロコシの『芯だけ』が、白いご飯とともに炊き上がっていた。

「あちちち……」

熱い熱いと言いながら、芯を釜から取り出す。

以前の莢《さや》ごと炊くグリーンピースご飯の、応用編だ。白いご飯は、芯から出た出汁《だし》をたっぷり吸って、この時点でトウモロコシ臭がすごい。

（実の方がどこに行ったかと言えば、こちらでございます）

あらかじめ包丁でそぎ落としたトウモロコシの実を、醤油とみりんで焼きモロコシ風に炒《いた》めてある。これを炊きたてご飯に混ぜた後、塩少々で味を調えれば、香ばしい焼きモロコシご飯のできあがりなのだ。

「茄子とスペアリブはどうなってます？」

「煮えてきた。そろそろ皿に盛れそうだ」

「うわ、辛《から》そう」

「意外とそうでもねえんだよ。コチュジャンは豆板醤《とうばんじゃん》とは違うからな」

「同じジャンなのに」

まもりは時々、どちらがどっちか混乱する。

いわゆるコチュジャンは、もち米を麹《こうじ》で糖化させ、韓国唐辛子の粉などと混ぜた発酵食品である。空豆をベースにした中国の発酵食品、豆板醤に見た目と音の響きは似ているが、コチュジャンの方が辛味がマイルドで甘味が強いという。

「あと豆板醤は、油で加熱しないと香りが立たない。非加熱ＯＫがコチュジャン」

「ああ、麻婆《マーボー》系の炒め物とか、必ず最初に豆板醤だけ炒めますよね」

逆にコチュジャンは、そのまま焼き肉のサンチュやビビンバなどについてくる。確かに違いがよくわかる。

フライパンの中のスペアリブと茄子は、そのコチュジャンによって赤茶色に煮染められていた。葉二はトングを使ってスペアリブと茄子を大皿に移すと、仕上げとばかりに残った煮汁を煮詰め、とろみをつけてから回しかけた。

「最後に緑のパクチーをどばっと」

「まぶしい――完成！」

スペアリブと茄子のコチュジャン煮。

これで本日のお品書きが全て完成したので、急ぎテーブルに持っていくことにした。

――どっこいしょ、と重たい体で椅子に腰掛ける。

最近はいちいち立ち座りするよりも、立ちっぱなしの方が楽だと思うぐらいだが、夕飯で立ち食いが悲しすぎることぐらいはわかっていた。

今日は特別な日でもある。

「さてさて葉二さん。最後の晩餐《ばんさん》の時間でございますよ」

「大げさだなおい」

「だってこのお部屋とは、本当にお別れだもの。帰ってくる頃には、引き払っちゃってるでしょ？　葉二さんが」

「まあそうなんだけどな」

しかと進めてくれるだろうな、失敗は許されないぞというプレッシャーを、暗にかけてみる。葉二はそっと目をそらし、箸と自分の飯茶碗《ぢゃわん》を手に取った。

食卓に並んだのは、焼きトウモロコシの混ぜご飯、スペアリブと茄子のコチュジャン煮、そしてトマトとクリームチーズの胡麻和えだ。

「骨付きのお肉って、もう手がベタベタにならない選択肢がないんで、最初からお手拭き用意しました」

「準備いいじゃねえの」

「見苦しいでしょうがどうかご理解を」

「かまわんかぶりつけ」

「了解。蛮族になります。いただきまーす」

遠慮なく、コチュジャン煮を小皿に取り分け、スペアリブにかじりつく。

赤いソースが絡む骨付きの豚肉は、こっくりとしたコチュジャンの甘辛味。お米が由来と知れば、この甘みも納得だ。韓国風のパンチの効いた味にパクチーのフレッシュな香りで、胃もたれもせずどんどん食べられてしまう。骨の周りのお肉も、蛮族のたしなみとして余さず綺麗に食べる。

「どうだ？」

「この手の煮込んだお肉って、へたすると煮汁に旨みが全部吸い取られてゴムみたいになる時があるけど、これはそうでもないですね」

「そうならないよう最初に焼き付けて、途中で引き上げてるからだろうな」

「なるほど。煮汁は最後の最後、取り出した後で煮詰めてますもんね」

ちゃんとお肉の味がするというか。

随時お手拭きを活用しつつ、次は茄子に行った。

「……あー、でも茄子もおいしい。柔らかくてとろっとろ」

「こっちはこっちで周りの旨みも脂も、なんでも吸い込むスポンジだから」

なんということだ、裏の主役であらせられたか。

(きっとこれは、二日目もおいしい)

ぎりぎりを攻めるコチュジャン煮を堪能《たんのう》した後は、焼きトウモロコシご飯だ。

こちらは素材の甘みを活《い》かしたトウモロコシに、わざと焦げ目をつけて焼き付けた醬油の香ばしさがたまらない。この屋台っぽさを出したいから、わざと実の部分は別立てで炒めたのである。

「けっきょく、何年ここにいたんですっけ。わたしが大学三年の冬からだから――」

「まる五年……とは行かねえが、四年は確実に超えてるな」

「わー、そんなにですか」

あらためて言われると、けっこうな年月だった。まもりは住んでいない時期もあったが、練馬の四年間より長期間だったことに驚いてしまう。

「色々ありましたよね。葉二さん、事務所の立ち上げと一緒だったし」

「まもりは就活からスタートだったか？」

「あれはきつかったー」

「おまえ隠れて泣いてたもんな」

まもりは思わず、食べかけだった胡麻和えのミニトマトを、箸から落としてしまった。

トマトの酸味にクリームチーズとおかかのアシストが、意外にして最高の一品だったのに、ころりとテーブルの上に。

(気づいてたの？)

葉二は半眼でうなずいた。

「さすがにわかるわ」

「……いやはや、まったくお恥ずかしい……」

まもりは赤面した。数年たって暴露するとは、葉二もなかなか意地が悪い。もう時効と思ったのかもしれないが。

「俺のわがままにつきあわせて、こりゃ一生かけて返すしかないとか思ったんだがな。できてんのかはいまいち謎だ」

自分のスペアリブをかじりながらの、独り言に近いしみじみした台詞《せりふ》に、まもりは意外を通り越して少し悲しくなってしまった。

どうしてそんなことを言うのだ。こうして葉二と食卓を囲めて、おいしいものを食べて、一緒に年を重ねて。プロポーズの時に漠然と思い浮かべていた世界に居て、こんなに素敵な話はないと思うのに。

「……どうして？　わたしすごく幸せだよ」

「本当か？」

「葉二さんこそ、わたしを信用してないと思う」

「おまえ、肝心な時に言葉を飲み込むから、心配だ。離れてたらわからなくなることも多くなる」

「できるだけ報告するよ。お腹《なか》重いよー、とか。いい加減お寿司《すし》が食べたいよー、とか」

「そう。なんだろうが自分のこと大事にしてくれよな」

それはこちらの台詞だ。

里帰りを前に、柄にもなくセンチメンタルな気持ちになっているのは、まもり以上に葉二なのかもしれない。かっこつけちゃって、などと茶化す気にはなれなかった。

いつも自分のやりたいことがはっきりしていて、ブレない背中をずっと見てきたけれど、年上だから男だからと、飲み込んだ言葉も多かったはずだ。彼に初めて会った時の、葉二の年齢が視界に入ってくると、なおさら思う。人間はそんなに強くない。

「葉二さんも無理しないで」

「すさまじく年寄り扱いされた気分だ」

「そういう意味じゃなくて」

なぜそうなる。この唐変木が。

「次会う時はさ、この子も一緒だよ。待ち遠しくない？」

まもりは笑って、お腹のあたりを指さしてみせた。

「おまえのそういうとこが、俺は真面目に羨ましい」

「やった。褒められた」

「自分で言うな」

それから二人で考えた名前を口にして、生まれてくる我が子に呼びかけた。

こんにちは、元気？　聞こえる？

我々は、君の誕生を、心から歓迎するよ——。

その後の小話

神戸市北野《こうべしきたの》にある、古いマンションの一室が、デザイン事務所テトラグラフィクスのオフィスである。

ちまたの装飾がハロウィーン一色で賑《にぎ》やかな中、秋本茜《あきもとあかね》が『いつもお世話になっております』から始まるメールでラフを送信し、ふと顔を上げると妙に空間が狭かった。

ここも立ち上げの頃に比べると、人も物も増えてかなり手狭になってきているとは思う。それでもなんとかなっているのは、時勢にならって誰かしらリモートワークで机が空いていたからだが、どういうわけか今日は全員出勤になってしまっていた。

社長の葉二《ようじ》など、無駄に上背がある上に基本が黒っぽいスーツ姿なので、いやがおうにも部屋の一部が暗くなる。今は自分のデスクでこちらに背を向け、スマホで何やら話し込んでいた。

「……そっか。わかった。みつこさんは一緒にいるんだな？　じゃあ落ち着いて、タクシ

—呼んでもらえ。ああ、俺もすぐ行くから——がんばれ」

通話を切っても、妙に思い詰めた顔で画面を見つめている。

仕事の電話にしては様子がおかしいと思っていたら、急に葉二がこちらを向いた。

「悪い秋本、今日はこれで切り上げるわ。急ぎの用件があったら、こっちに回していいから」

「あ、はい。別に構いませんけど……」

「なんやハニ、もしかしてまもりちゃんか？」

仮装でもないのに金髪頭のチーフ、羽田《はた》勇魚《いさな》が、デスク越しに声をかける。

「そろそろや言うてたもんな」

「えー、大変じゃないですか！」

会話を聞きつけのってきたのは、茜の同僚、小野《おの》このみだ。

「早く行ってあげてくださいよ」

「というか社長、奥さん神奈川《かながわ》に里帰りしてるとか言ってませんでしたか……？」

「言ったたな」

なら、何を呑気《のんき》にパソコンをいじりはじめているのだ。切りのいいところまでこのファイルまとめちゃおうってやつか？

「まあ産まれそうって言っても、初産だしな。実際出てくるまで相当時間かかるって言うから、そんな焦る必要ないだろ――」

「そういう問題じゃない！」

茜とこのみの台詞が、珍しくぴったり一致した。

「ぐだぐだ言ってないで帰れ！」

「新幹線の手配は？」

「……いや、駅で適当におさえようかと」

「それはこっちでやるから」

「新神戸《しんこうべ》から品川《しながわ》までですね――のぞみのグリーン車を一枚確保しましたので、社長のスマホにただ今送りました」

速攻で手配してくれたのは、テトラグラフィクスのハイパー事務員、藤崎《ふじさき》さんである。まだパートの時間帯で本当に良かった。

社員一同に詰められて、葉二はようやく荷物をまとめ、「じゃ、後頼むな」と言ってオフィスを出ていった。

「まったく世話の焼ける」

「しっかしあのまもりちゃんが、ママになるんか。あっちゅうまやなあ」

「名前とか誰か聞いてる？」

「なんか葉介《ようすけ》とか言ってましたよ。社長から一字取って、葉っぱに介」

「もろ長男って感じの名付け」

俺様社長が考えたのだろうか。

「俺が聞いた限りやと、まもりちゃんが推したんいう話やで。『どうせ顔の想像つくなら、これしかない』言うて」

「なんですかその理由……」

降って湧いた出来事に、みななかなか気持ちが切り替えられず雑談が続いた。

しかしまあ、そうあることではないのでたまにはいいだろう。この会社は立ち上げの当初から、社長をネタにすることで一つになっているのだ。

だんだん気温が低くなってくる、十月下旬の神戸、黄昏《たそがれ》時。茜たちは出産祝いを何にするかで、またひとしきり盛り上がったのだった。

四章　まもり、たとえばこんなハッピーバースデー。

晶《あきら》『掃除したら出てきた。送った方がいいよね？』


コーヒーを持ってタリーズの席について早々、そのコーヒーを噴くかと思った。

栗坂《くりさか》ユウキが半年以上前に別れた、元カノからのメッセージだった。

しかもどこかで見たことのある、アパートの鍵の写真もついていた。ただ今ユウキが隣の座席に置いた荷物の中に、これとまったく同じものがキーホルダーにくくられた状態で入っている。

（──合鍵なんていつ渡したんだ……？）

ユウキが京都《きようと》の国立大学に進学して、すでに四回目の秋だった。目下の懸念材料だった大学院進学の目処《めど》もつき、後は学士の卒業論文だと研究に専念していたところに、俗世が全力で足を引っ張ってきた感があった。

おぼろな記憶を必死に探ってみるが、一回生の夏に晶がこちらへ遊びに来た時が有力な気がした。向こうは横浜《よこはま》の実家暮らし、こちらは京都に一人暮らしで遠距離だからと、まるで当然のように差し出したのだ。

当時はそれが恋人へのあるべき態度のような気がしていたが、実際にその鍵が使われることが一度としてあっただろうか。答えは否だ。時期的に長距離の移動が憚《はばか》られることも多かったし、それでも数少ない晶の上洛《じょうらく》時は、ユウキが必ず出迎えてドアを開けていたのだ。ならいったいなんのために。

ただの自己満足――自分に酔いすぎ――考えるほど浅慮な行為に思えてきて、ユウキは頭を抱えて悶絶《もんぜつ》するしかなかった。

きっとそんなことだから、晶も掃除をするまで思い出しもせず、鍵が出てきてびっくりしたに違いない。

一番情けないのは、たったこれだけのメッセージで動揺している自分自身だった。

事実から読み取れるのは、晶がこちらの連絡先を消していなかったこと。もはや必要なくなったものが出てきても無視はせず、持ち主に連絡しようという程度の情はあるということぐらいだ。

これを機会によりを戻したいという説も、ほんの一瞬だけ頭をよぎったが、いくらなんでも都合が良すぎだと却下した。

もうこれ以上は待てないと、泣いて言い切ったのは晶の方だ。まずありえないだろう。

とりあえず早急に返信だった。

ユウキ『大変ご無沙汰しておりました。鍵の件ですが、誠にお手数をおかけしますが、着払いで送っていただけないでしょうか』

おい自分。さすがによそよそしすぎでは？　慇懃《いんぎん》無礼《ぶれい》でケンカを売っていると思われる可能性がある。

別にケンカ別れをしたわけでもないのだから、もっと普通にフランクな感じで。

ユウキ『いやっふー。元気にしてたかぴょん？　鍵は送ってくれるとうれしいにょら』

――洋ゲーとモンスター狩りとイカの陣取りゲームで夜明けを迎え、ソシャゲでSSRのレアキャラが引けると、廃人のテンションでこんな口調にならないこともない。しかし酔っ払いゲーマーの実況を、今さら読まされる側はきつかろう。やめておけ。

ならどうする。

額に嫌な汗が浮かぶ。

(だめだわからない)

いったいどう返事をするのが正解なのだ。参考にできるテキストは？　こんな風に迷っている間にも、既読のマークがついてしまったぞ。

スマホ片手に、人生の断崖絶壁まで追い詰められていたら、また新しいメッセージが届いた。

(椎堂《しどう》)

葉二《ようじ》『引っ越しの片付けが終わらん。飯おごるから助けてくれないか』

——脱力した。

亜潟《あがた》葉二。姉と結婚した物好きな男である。

本当に夫婦そろって、空気が読めない人たちだな！

仕方がない。とりあえず当面の問題は横に置いておき、呼ばれた通り週末は電車に乗って神戸《こうべ》にいた。

（……荷物が片付かないって、そりゃそうでしょ）

ユウキは内心ぼやきながら、ＪＲ六甲道駅《ろっこうみちえき》で降りる。

姉夫婦には先週子供が産まれ、姉のまもりは川崎《かわさき》の産院から実家に移ったところだと聞いている。そして時を前後して彼らは家も購入しており、まもりが里帰りをしている間に引っ越し作業を終える算段でいるらしい。誰が立てた計画か知らないが――恐らく葉二だろう――無謀の匂いがぷんぷんした。

新居は前のマンションから、さほど離れていなかった。番地しか聞いていなかったが、同じ坂道を歩いていくと、真新しい庭に葉二がいたのですぐにわかった。

「アガタサン」

柵の外から呼びかけると、地面にしゃがみこんで土をいじっていたジャージの背中が、こちらを向いた。

「おう、ユウキか」

「やっぱ畑作ったんだね」

隣のアプローチから、中に入る。

庭は坂の影響を受けないよう一段高くなっており、手前のカーポートも含めて大半は舗装がしてあったが、一部煉瓦《れんが》を積んで仕切りを作り、黒土を入れたスペースがあった。遠目には花壇か何かのようにも見えたが、すでに野菜の苗らしいものが植えてあったので、ここは菜園なのだろう。水まき用の散水栓までついている。

「まあな。業者の図面にはポタジェとかいう小洒落《こじゃれ》た名前がついてたが、俺はがっつり大根白菜植えてやるつもりだ」

「まりもが泣きそう」

「食っていいなら花も植えてよし」

リビング直結のウッドデッキの真ん前で、一番目立つところに作ったのがこの夫婦らしいというか。

「……でも悪くないんじゃないの？」

「そうか？」

「家も見た感じ、中古で買った風には全然見えないし」

「それなりに手は入れたからなー。ガワはいいんだよガワは。まもりが帰って来るまでにポタジェを占領しとかねえとって、色々仕入れて工作してたから、家の中が全然手つかずでな」

バカだよ。バカがいるよここに。

しょうもない義理の兄について、玄関から家の中に入った。

葉二にヘルプを出された理由は、それですぐにわかった。本当に最低限の大型家具が雑に配置されただけの状態で、残りは全て引っ越し業者の段ボール箱が、そのまま積み上がっている。しかも一箇所と言わず、あらゆるエリアで小山を作っていた。テレビの配線すら済んでいない。

「引っ越す時、いる物もいらん物も選別しないで、全部運び込んだんだよ。そうしねえと終わりそうになかったから」

「……これ、二階もこんな感じ？」

「おおむねな」

ポタジェなんぞ目じゃない勢いで、泣き崩れる姉の幻影が見えた。あるいは阿修羅《あしゅら》と化すか。

「というか、なんでこんなキャンプ用品だけ荷ほどきしてあるの？　もっと他に手をつけるものあるでしょ」

ユウキとしてはリビングの窓際に放置された、野外調理用の鍋やシングルバーナーの存在に眉をひそめてしまう。しかし葉二の答えは、よりひどかった。

「ああ、それは煮炊きに使うから」

「は？」

「まだガスコンロと給湯器が来てないんだわ」

あっけらかんと言うが、耳を疑うとはこのことだ。

「……あの、リフォーム終わってるんだよね？」

「資材不足と入荷の遅れで、どうしようもないらしくてな。正式に言うと取り付け完了するまで終わりじゃないんだが、そう言われても前の家は退去の手続きしちまってるし、ちょっとでも片付け進めたいから俺だけ住んでるわけだ」

業者側は平謝りで、金銭の補償もされているそうだが、とにかく台所の火が使えず風呂にも入れない状況が、ずっと続いているらしい。

「食事とかどうしてるの？」

「外食かレンチン飯か、それも飽きたらそこのバーナーで煮たり焼いたりしてる」

「風呂は――銭湯か」

「昔まもりに入らされた、ジムのシャワールーム使ってるわ。初めてあいつに感謝したかもしれねえ」

鷹揚《おうよう》に笑っているが、笑っている場合だろうか。姉の呑気《のんき》がうつったかと心配になってしまった。

「悪徳業者に騙《だま》されたとかじゃないよね……？」

「大丈夫！　そういうんじゃねえし、まもりが戻る頃には全部付いてるから！　心配するな！」

背中をバンバン叩《たた》かれた。痛いよ。

しかし――こうなるとユウキが神戸くんだりまで手伝いにきた、理由の大半が失われてしまった形だった。密《ひそ》かに葉二の手料理が食べられることを期待していたのだが、このぶんでは望み薄だ。

「……わかったよ。とりあえずどこから手をつければいい？」

「おお。おまえの仕事はこっちだ」

そう言って連れて行かれた先は、二階の洋室だった。比較的、業者の段ボール箱が少ない部屋のようで、かわりに未開封の商品が色々と置いてあった。

「まずはこれ、組み立ててくれな。ベビーベッド」

「は、僕？」

「終わったらこっちのバウンサーとか、ベビーカーも頼むな。箱は邪魔にならないように畳んでおいてくれ。これ、組み立て用のドライバーな」

おっと忘れてたとばかりに、ケース入りのドライバー八本セットが、出入り口の床に置かれた。
「出産祝いと引っ越し祝いでなんやかんや貰《もら》っても、開封する暇も組み立てる暇もねえん
だよ。いやマジでおまえが来てくれて助かったわ――」
　上機嫌のまま、ドアが閉まる。
　大量のベビー用品を押しつけられた形のまま、ユウキはしばし呆然《ぼうぜん》としてしまった。
――さすが亜潟葉二、のっけから人使いの荒さ全開だ。きっとこの部屋のどこかに、ユ
ウキがAmazon経由で贈った積み木もあるに違いない。
（これは何、テトラグラフィクス一同……？　会社の人から貰ったの？）
　葉二が指定したベビーベッドは、まず熨斗《のし》を剝がすところから始まった。しっかりとし
た木製で、キャスターで移動もできてベビーサークルにもなる優れものらしい。梱包《こんぽう》され
た段ボールはとにかく巨大、かつ大量にゴミが出た。組み立ては説明書と首っ引きで、結
構な時間がかかってしまった。
（……そもそもこういうのって、父親か母親がやるもんなんじゃないの？　自分の子供
でしょ？）
　独身で学生のユウキにはさっぱりわからないと思いながら、ドライバーでぎりぎりとネ

ジを締める。

ベビーベッドに続いて外国製のバウンサーを片付け、同じく外国製ベビーカーの前輪がどうしても車軸に入らず、すわ設計ミスかと奮闘していたら、ドアが開いた。

「ユウキ。昼飯にするから降りてこないか」

――もうそんな時間なのか。

何かこの部屋のものを全て開封し組み立てないとクリアできない、脱出ゲームに参加させられている気になっていた。そんなはずは全くなかったのだが。

散乱する緩衝材とビニール袋の山を踏み越え、葉二とともに一階へ降りていく。

「どこか食べにいくの？　それともウーバーかなんか頼む？」

「いや、食材あるから俺が作るわ」

意外にも作る気でいるらしい。

大丈夫なのか、ガスコンロと給湯器なしで。

葉二はてらいなく、新居のキッチンに入っていった。

もともと食べることに力を入れている夫婦だけあり、設備自体はかなり充実していて広さもあるようだ。ただし葉二が言った通り、本来ならシステムキッチンのガスコンロがあるであろう部分が、ごそっと抜けていた。

前の家から持ってきた、紺のデニムのエプロンをつけて葉二は言う。

「奢《おご》るって約束だし、ユウキは座っていいぞ」

「……なんか気になるから見てる」

「OK。なら見ててくれ」

背後について見学することにした。

まず葉二は、冷蔵庫の野菜室からニンニク、キャベツとピーマン、玉ネギとジャガイモと、次々に野菜を取り出してカウンターに置いた。

ニンニクは手早くみじん切りにし、まな板経由でキャンプ用の調理鍋に投下する。迷いのない手つきである。

「おまえさ、北斗《ほくと》の内定先って聞いてるか？」

「一応」

「新聞社って、あいつに記事なんて書けるのかね」

「……記者だけが仕事じゃないはずだし」

ユウキも最初は意外だったが、出版社勤務で北斗を育ててくれた、母親の影響も大きいように思った。

葉二はキャベツを数枚むしり、洗ったピーマンとともにざく切りをはじめた。

「……そのジャガイモと玉ネギは？」

「芋は洗う。玉ネギは皮をむく」

「僕やろうか？」

「お、いいのか。なら表のシンクでも使ってくれるか。そこのドア開けて」

手持ち無沙汰で声をかけたら、勝手口を指さされた。開けてみると、すぐ脇に深型のスロップシンクがついていた。

「それな、表から野菜収穫してくる用に、付けてもらったんだわ」

「……徹底してるね」

「ちなみにこういうギミックもあるぞ」

ユウキがキッチンに戻ると、葉二は野菜を切る作業を続けながら、足下の幅木のような部分を軽く蹴った。すると、高さ十センチほどの踏み台が引き出され、リビングに対して段差のように思っていた床のへこみ部分が、スライドすることによって全て埋まった。

「これがまもり向けの高さ。引っ込めれば俺用ってわけ」

「なるほどね……」

この得意気な顔ときたら。よっぽど嬉《うれ》しかったようだ。

葉二がリフォーム業者に対して悪い感情を持っておらず、問題ないと自信を持つ理由がわかった気がした。本当に設計の段階から、細かい要望を聞いてもらってきたのだろう。

やや安心したところで、指令通りスロップシンクでジャガイモを洗い、ゴミ箱にて玉ネギの皮をむく。

「終わったよ――」

「サンキュ」

キャッチした玉ネギを、葉二は手早く薄切りにした。ジャガイモは皮をむいて乱切りにし、平皿にラップをして電子レンジの加熱ボタンを押す。

「レンジあって良かったね」

「まあいよいよやばかったら、鍋で時間かけて煮りゃいいんだけどな。単なる時短だ」

二分ほど加熱してから、ジャガイモを取り出す。

野菜の具材は、これで全てそろったようで、ザルにまとめて入れると調理鍋とともにキッチンを離れた。

リビングの掃き出し窓が、いつのまにか開け放たれている。直結するウッドデッキには、キャンプ用のテーブルと椅子が用意してあった。テーブルにはバーナーと遮熱板、簡単な調味料なども準備済みだ。火入れなどの調理は、こちらでまとめて行うつもりのようだ。

「あとは肉と魚だ」

キッチンに戻って冷蔵庫の上段から、鱈《たら》のアラ、海老《えび》、ウインナーとピザチーズを取ってくる。

いったい何ができあがるのか、この段階では想像もつかなかった。

「よし。材料はそろった。一気に作るぞ」

まずはさきほどのニンニク入りの鍋に、オリーブオイルを一回しする。

「バーナー着火」

カセットガスに直結したシングルバーナーのつまみを回して、火を点《つ》ける。ぼっと炎が出たところを微調整し、五徳の上に調理鍋を乗せる。

しだいに中のオイルが温まって、みじん切りのニンニクがふつふつと色づいてくると、
葉二はそこに缶詰のカットトマトを開けて注いだ。

「これでまた煮えてきたら、ケチャップだろ、コンソメ、味の決め手のスパイスをどばっとつっこむ」

「それなに、七味？」

「チリパウダー。チリペッパーでもカイエンペッパーでもないから気をつけろよ」

カレースプーンで豪快に放り込まれるが、ユウキには『赤黒いもの』という認識しかできない。

「まあ色々混ざった、西洋版の七味とでも思ってくれ」

「七味はそんな山盛り入れないと思う……」

「んじゃカレー粉か？」

とにかくこれだけで、独特な味になるのだと葉二は言った。

「混ぜたらあとは水を――しまった、水持ってくるの忘れたわ。ユウキ、ちょっと台所行って水汲《く》んできてくれるか？」

「え、水ってどれぐらい」

「適当でいいわ」

「適当じゃわからない」

「めんどくせえな。ボウルあったらそこに半分ぐらい。早くしろ焦げる跳ねる」

理系にそういう曖昧さは勘弁してほしいのだ。しかし、揉《も》めているうちにもカットトマトと調味料が煮詰まってあたりに飛び散りはじめたので、焦った葉二はユウキを無理矢理追い立てた。

「いいから走れ！」

「ああもう」

舌打ちしながらキッチンへ走る。人様の新居だというのに棚や引き出しを片っ端から開けてみるが、まだ荷ほどき前ゆえかほとんどが空だった。

（入れとけよ！）

洗ったペットボトルがシンクの端に乾かしてあったので、そこに水を注いで代用した。

「これ！」

「でかした大福2号」

「そのあだ名やめて」

葉二が受け取ったペットボトルを逆さまにし、鍋に注水する。

一気に凪《な》いで静かになった現場に、鎮火、という言葉がしっくり来た。

「ベースのスープがこれでできた。あとはここに持ってきた具材を全部詰めて煮込めば、できあがりだ」

さようですか。

カットしておいた野菜やシーフード、ウインナーなどをどんどん入れていき、今度は静かに煮込まれていくのを、お互い折りたたみ式のアウトドアチェアに座って見守った。

手には葉二が提供した缶ビールもある。

プルトップを引き起こすと、炭酸が抜ける音が響いた。

日差しがまぶしい。

（平和だ）

家の中の惨状を、振り返りさえしなければだが。

たまたま風下に座ってしまったせいか、トマトとスパイスの匂いがダイレクトに漂ってくる。急に空腹の自分を意識した。

「……ところでさ。これはいわゆる、洋風の鍋的なもの？」

「平たく言えばそんなもんだな」

「いつできるの」

「ジャガイモはあらかじめ柔らかくしてあるから、海鮮とウインナーに火が通ればＯＫ。おし──そろそろ食べるかユウキ」

立ち上がった葉二がお玉で鍋をかき回し、できあがりを確認した。そして、これまたアウトドア用の食器によそって渡してくれる。青空を背景にほわりと湯気があがり、ここは本当に灘《なだ》区《く》の住宅地なのかと思う。

「いいよな、庭で飯作って食べるの。ちょっと憧れてたんだわ」

「……ガスコンロがないせいだけどね。いただきます」

「待て待て、チーズがまだだった」

袋を持ってぱらぱらと、とろけるチーズが追加された。これで真の完成形らしい。

あらためて、チーズが熱でとろけていく様を、じっと見つめる。トマトがベースで肉と野菜と海鮮まで入って、とにかく栄養満点なようだ。

（……いただきます）

今度は心の中で唱える。

割り箸で粗挽《あらび》きウィンナーを食べ、真っ赤なスープを一口。トマトの酸味に、たっぷり入れたチリパウダーの複雑な辛みがよく効いている。一緒に入れた骨つきの鱈や殻つきの海老から出る出汁《だし》も、しっかりスープに溶け込んでいた。

季節も十一月となれば、屋外で何もしていないと日中でも肌寒さを感じることがあるが、これを食べはじめたらあっという間に温まった。この状態で飲むビールというのは、控えめに言っても最高ではないだろうか。

「肉も魚もいいが、俺はこれに入ってる芋が好きでな。どうだユウキ、辛《から》くないか？」

「……別に」

「そうか。もうちょい辛くしたかったら、鷹《たか》の爪《つめ》と適当に煮込むか、一味を追加するところなんだがな。逆ならチリパウダーを半分ぐらい、パプリカパウダーに置き換える」

「余計なことしなくていいよ」

「そうだと思って、このあんばいにしたんだよ。俺はあえてタバスコを足す」

「激辛好きのマウントうざい」

「まもりと同じこと言うよな」

うるさいよ。ユウキは軽く睨《にら》むが、葉二の機嫌の良さは変わらなかった。嬉々《きき》としてタバスコの小瓶を自分の皿に振りかけている。

「よし。ほどほどに食ったら、締めはラーメンと行こう。できれば乾麺推奨」

しばらくすると葉二は鍋用ラーメンの袋を開けだし、スープが半分まで減った鍋に投入した。

「ユウキ、皿貸せ」

「ん」

茹《ゆ》だった麺とスープを、きっかり葉二と二等分すると、調理鍋も空になった。

あらためてその麺とスープをすすり、ユウキは確信した。

「アガタサン」

「なに」

「これ、カップ麺のチリトマト味……」

初めて出会う料理のわりに、妙に覚えのある味だと思ったのだ。

トマトたっぷりのイタリアンともスープカレーとも言えぬ、スパイスと具材が絡み合った滋味深い味。チリトマトのチリは、チリパウダーのチリだったのか。麺と一緒にすすって食べると、ますます近い。

「でもうまいだろ」

「まずいとは言わないけどさ」

ずるずると麺をかきこみながら返す。しかし表で食べると、ますます山登りやキャンプ場でくたびれながら食べた、あのカップ麺の記憶が鮮明に蘇るではないか。

「──本当はこれに、ハーブのオレガノなんか足したいとこなんだけどな。植えときゃよかったわ」

葉二は少し悔しそうに、自分が座るところから菜園を眺めている。

オレガノはシソ科のハーブで、バジルと並んでトマトを使う料理に欠かせないものらしい。

しかし葉二が先んじて植えた苗や、直《じか》まきの種も、実際に収穫できるのはまだまだ先だろう。

「そういうお楽しみ的なのはさ、まりもと葉介が帰ってくるまで取っておきなよ」

ユウキは思う。きっとこれから毎年、ここで野菜を収穫して食べる機会は巡ってくるだろうが、一番最初の相手は家族がいいのではないだろうか。せっかくのマイホームなのだから。

こんな義理の弟とキャンプごっこして、ニコニコご機嫌になるもんじゃないよアガタサン。

「そうか——確かにな」

「レーギってやつ？」

「おまえは賢い奴だ。よく気がつくし」

「やめてよ」

こちらは晶に出す回答すら、満足にまとめられないのだ。

「そう、たとえて言うなら、みつこさんにそっくりだな」

「ねえそれ褒めてないよね!?」

口からラーメンを飛ばしてしまったのは、僕のせいではないとユウキは言いたい。

チリトマト鍋はスープの一滴にいたるまで、お互いの腹におさまったので、洗い物はかなり楽になりそうだった。

使った調理器具や調味料を、家の中に戻す作業を手伝っていた時だ。

(――なんだこれ)

色々と荷物が置かれたリビングを抜け、ダイニングテーブルの脇を通ろうとしたら、一枚の書類が目に入った。

白い横長の用紙に、各種の記入欄。いかにも役所で発行されていそうな、申請書の紙だ。左上に『出生届』と書いてある。

てっきり書き損じが置いてあるのかと思ったが、右側の出生証明書にしっかり医師らしい人の署名がしてあって、ガチの本番用紙であることが判明し驚いた。

後からやってきた葉二が、「あー、それな」と気まずげな声を出す。

「まだ提出してなかったの!?」

「大丈夫、生後二週間までは待ってくれる！」

産まれてそろそろ十日になるだろう。妻子を置いて神戸《こうべ》に帰ってきてから、役所に書類を出す時間はいくらでもあっただろうに。そんなに大根の種まきが忙しかったのかこの人は。

「……いや、俺としても、さっさと出すもんは出しちまいたいんだが」

「なら提出すればいいじゃん」

「名前が決まらん」

真顔で言われ、「は？」と返すしかなかった。

「……葉介にするって言ってなかった？」

「言った。産まれるまでその予定だった」

名入りのベビー用品も、『ようすけ』『ＹＯＳＵＫＥ』ばかりのはずだ。

なんでも腹の中にいる子が男子だと判明した時から、産まれてくる子は父親似とみな信じて疑わず、まもりが葉二から一字取って『葉介』にしようと提唱し、夫婦ともにこれをよしとしていたそうな。

しかし、いざ産まれた我が子を見た夫婦は思った。

「なんか違うって」

「違う……」

「顔は丸いし髪は薄いし、こりゃどう見てもまもりとかユウキの系統なんじゃねえのって」

強固に連綿と続いてきた『亜潟家男子』の遺伝子を、ここに来て『栗坂家』の遺伝子が打ち破ったということらしい。

「薄毛の家系で悪かったね……」

「こうなると葉介は違うから、いったん白紙に戻して考えようってなったんだが、今までさんざんその名前で呼んできたから他が浮かばなくてな。おまえ何かいい案あるか？　この写真にピンと来たら——」

「そんな指名手配犯みたいな見せ方やめてよ！」

産まれたばかりのしわくちゃな新生児を、スマホのアップで見せられても困るのだ。

「まもりから毎日写真は送られてくるんだがな。どうにも決め手に欠けて困る」

「……じゃあもう、呼び名が定着してるんだからそのままでいいんじゃない？　漢字だけ変えて太陽の陽介《ようすけ》とか」

陽気と呑気《のんき》は紙一重。まもり似ならいいだろうと、半ばやけくそで言ったのだが。

「おまえ、今なんて？」

「太陽で陽介」

「陽介……葉が育つには、太陽がいる」

何やら天啓を受けたかのように、ぶつぶつと独り言を喋《しゃべ》りはじめた。

「いいじゃねえの」

おいおい本気か。

葉二はその場でスマホを操作し、川崎にいる妻とビデオ通話を繋《つな》げてしまった。

「よう、まもり」

『やっほー、葉二さん。いま何時？』

「二時だよ昼の」

『そっかあ、もう昼だか夜だか全然わかんないよ。あはは』

葉二に「ユウキもいるから」と、むりやり横に立たされた。

画面には、寝間着姿で布団の上に座り込む、姉の姿があった。横抱きに赤ん坊を抱いている。テンションの高さに反してだいぶやつれた感があるのは、出産のダメージに加えて昼夜の授乳で、疲れが取れないのかもしれない。

『ユウキも元気ー？』

「まあ、まりもよりは……」

『見て見て赤ちゃん。なんか昨日よりも、目が合うようになった気がするんだ』

「それよりな、まもり。ユウキが名前の件で考えてくれたんだわ」

葉二はあらためて、陽介という名はどうかとまもりに提案した。

『太陽の陽で、陽介……』

「そう。どうだ？」

まもりがやつれたなりに、ふわりと相好を崩した。

『お日さまの陽ちゃんかあ……素敵な名前』

「じゃあこれで行くか」

『わたしは賛成』

いいのか。本当にいいのかあんたたち。

「あのさ、いったん冷静になって、画数とか総合的に判断した方が……」

『陽ちゃん、陽ちゃん、聞こえる？　お名前決まったよ？』

「よかったな、陽介。ユウキ叔父さんが名付け親だぞ」

葉二まで画面越しに呼びかけている。

（いや僕、そもそも名付け親になったつもりなんてないんだけど）

夫婦そろって、細かいことは気にしないタイプらしい。積年の問題が解決して清々《すがすが》しいとばかりに、赤ん坊に目を細めている。そして赤ん坊はだあだあと小さな手を動かし、泣き声で命の主張をはじめたのだった。

けっきょく夕方まで新居の片付けを手伝い、夕飯にまたキャンプ飯のホットサンドを焼いてもらって、その日は終了となった。

「なんか片付かなくて力及ばずって感じだったけど」

「いやいや、一人じゃ動かせねえ家具をどうにかできたのは大きかったわ。サンキュ」

二人がかりで荷ほどきしたものの、攻略できたのはごく一部。それでも葉二は感謝の言葉を口にした。

「次は普通に菜園の野菜使って、飯食おうな」

「そのうちね」

「じゃなかったら、キャンプしに遠出するのもありかもな。二人で山でも行って——と、悪い」

玄関先の葉二が断りを入れ、スマホの画面を開いた。

精かんなイケメンが、にやりと口の端を引き上げる。

「どうかした？」

「ガスコンロと給湯器が来る」

リフォーム会社かららしい。

——なんかもう、幸せじゃないかこの人。

ユウキはあらためて思って、亜潟家の新居を後にした。

今、神戸線の電車を待つユウキのリュックサックには、アルミホイルに包まれたホットサンドが入っている。

（……朝食用のまで貰《もら》ってしまった）

直火《じかび》OKのホットサンドメーカーで焼いた食パンの具は、どちらもチーズをベースにしつつ、カレー粉で炒《いた》めたウインナー&千切りキャベツ、コンビーフ&ポテトサラダの二種だった。葉二がその場で焼いた作りたても、表面はカリカリ、中は熱々でおいしかったが、翌日以降はホイルに包んだままトースターで温め直せとのこと。またチーズがとろけるホットサンドが食べられるらしい。

個人的には引っ越し作業を手伝ったことよりも、葉二が本当に出生届に『亜潟陽介』と書き込んでしまったことの方が衝撃だった。

人の人生に大きく関わってしまった。

大変なことだ。

今ならこの衝撃をもって、なんでもできるような気がした。

ユウキは駅ホームの白々した照明の下、待機列から一歩下がり、手に持っていたスマホを操作した。

「……ああ、椎堂？　ごめん、今ちょっと話してもいい？」

『いいけど、別に。鍵の件？』

スピーカーから聞こえてくるのは、懐かしい元カノの声だ。

「連絡ありがとう。返事、遅れてごめん」

『それでどうすればいいの』

「ちょっと椎堂の声、かすれてるね。風邪ひいた？」

『ライブで叫びすぎた』

元気そうで何よりだ。

「じゃあ就活はもう終わってるんだ」

『あったりまえじゃん。超大手内定ゲット。楽勝だったわ』

「さすが」

『……って、真に受けるなよクリボー』

「ごめん」

『謝るなそこで。一応受かるは受かった。それ以上にお祈りされまくって、マジ胃が荒れただけ』

冗談めかして話してはいるが、相当大変だったのだろう。

「お疲れ」

『孤独でさー。しんどい時に愚痴も言えないって、思ったよりもきつかったわ』

「うん。がんばったんだね。おめでとう椎堂」

そこには確かに空白の時間があり、お互い関知していない出来事もあり。けれど普通に話ができてしまう事実が、ユウキには切なくもあった。

『クリボーは今、何してんの？』

「僕は……大学院の試験も終わったから、卒論用のデータまとめたりしてるよ」

『院進でも、卒論はちゃんとやらなきゃいけないのか』

「まあね」

ユウキは苦笑した。この会話自体、ユウキにしてみれば違和感がある。好きで学んだ学問の、四年間の総まとめなのだ。手を抜く理由がない。

これは晶に理解がないというより、生活の文化が違いすぎるのだろう。逆にユウキも晶にしてみれば、なんでこんなことを知らないのかということが沢山あるに違いない。

わかっているから、いつだって新鮮な気持ちで向き合えた。最初はまるで接点がなかった、友人の北斗と続いている理由も一緒だ。少なくともユウキは、このすれ違いやギャップを苦痛と思ったことは一度もない。

「それで今日、神戸の姉の家に行ってさ。ちょうど子供が産まれたところで、僕の考えた名前が採用になった」

『へー、すごいじゃん』

正確には、もとからあった名前の、漢字を変えただけだが。

「これから一生、その子が死ぬまで使う名前なんだって思ったら、すごい責任感じるのと一緒に、ちょっと誇らしいっていうか、わくわくもしてるんだ」

これは自分でも予想外だった。

「僕はずっと、人の人生に深く関わるのが嫌だったんだよ。責任取れないし、そんな大層な人間じゃないって思ってた」

もしもそれが出来る人間がいるとするなら、もっと年上で、生活力もあって、関わった人の人生も丸ごとつかんで引っ張っていけるような、強いパワーの持ち主に違いないと。

たとえば亜潟葉二のような。

でも今、胸にあるこの気持ちは、思っていたものと少し違うものだ。

『クリボー……』

「僕は臆病だったよ。椎堂を幸せにできる自信なんてなくても、関わることをやめちゃいけなかったんだ。椎堂が待つのが辛《つら》いっていうのは、すごくわかる。でも、二年たったら僕が絶対そっちに戻るよ。だから一緒にがんばってくれないか……っていうか、その気がまだあるならつきあってほしい。どうかお願いします」

一息に言って、通話なのに頭を下げた。

自分が乗るべき電車がホームにやってきたのに、顔を上げられない。

（——があああああ）

今頃になって羞恥心が襲いかかってくる。勢いに任せて、言いたいことを言いすぎだ。しかし時計の針は戻せない。発言は口から出て5Gの電波に乗った。

『……あのさ、鍵返したいって話だったのに、なんでこんな流れになってんの』

案の定、晶はかなり引いていた。

「そうだよね。ほんとその通りなんだけど」

『クリボーが困ると思ったから、一応連絡したのに』

返す言葉もないというものだ。

「ごめん。椎堂とまた話せたから嬉《うれ》しかったんだ。そっちにはすごい、迷惑だったよね。もう相手いるかもしれないし——」

『そういう問題じゃなくてさあ、栗坂キノコ野郎君！』

傷心のまま切ろうと思った瞬間、激しい勢いで怒鳴られた。

ユウキはとっさに切ることもできず、息をのんで背筋をのばした。

『あのとき、あたしがどんだけ、どんだけクリボーと一緒にいたいって言ったと思ってんの。なのにあんたは全然聞いてくれなかった。冷たいことばっかり言って。ふられたのはあたしの方なんじゃないの？　あんたの中のあたし像はいったいどうなってんの？』

「でも実際」

交際の継続が無理だと言ったのは晶で、その意見は最後まで変わらなかっただろう。

『コネもツテもなしに地方で就職、まったく現実的じゃない、目を覚ませ、ええおっしゃる通りですよ。クリボー君はいつも正しいですよ。でもそれをわかった上でチャレンジしようと思った、あたしの気持ちをちょっとでも汲《く》んでくれたらさあって……もうやだ』

彼女が涙ぐんで、はなをすするのがわかった。

「ごめん。僕が受け止められればよかったんだ」

本当は嬉しかった。でも怖くて逃げてしまった。自分で説明した通りの、ちっぽけな自尊感情からくる臆病さが原因だった。

『二年でこっち来るって……本当？』

「嘘《うそ》つきにならないよう、今言葉にしてみた」

不確定な未来ではなく、そこに向かって『進む』のだ。今この瞬間から計算は始まり、一秒たりとも無駄にしてはいけない。

「だから椎堂、もう一回言うけど、やり直さないか？」

『NO』

目を閉じる。

『──なわけないだろ、馬鹿クリボー』

こうやってすぐに毒づく癖も、意外に泣き虫なところも、ユウキには愛《いと》しく映っていた。

ああ、可能ならこの場で快哉《かいさい》をあげたい。

『それでけっきょく、鍵はどうすればいいの』

「持っててよ。後で回収に行くから」

とりあえず、目処《めど》としては正月あたり。卒論の追い込みは厳しいだろうが、始めから決めてしまえばどうということはない。

一度は見送った京都行きの電車が、再びホームに滑り込んできた。

(行こう)

ユウキはこれも自分の意志でもって、自分の足で乗り込んだのだった。

＊＊＊

まもりが里帰りを終え、神戸の町に戻ってきたのは、十一月の最終日のことだった。

息子陽介の一ヶ月健診が終わり、新居の準備も整ったというからだ。

その日は葉二が川崎まで、母子を迎えに来てくれた。子供ともろもろの荷物を抱えて新幹線に乗り込み、新神戸駅《しんこうべえき》からは駐車場に停《と》めてあった自家用車で、待望の新居入りを果たしたのである。

「――ついたぞ。陽介頼めるか」

「あ、はーい」

運転席の葉二が、シートベルトを外して車を出る。まもりはチャイルドシートの我が子を見守るため、ここまでずっと後部座席にいた。

(泣くなー、陽ちゃん。ゴトゴトうるさいのはわかるけどさー)

退院時に実家の車に乗った経験こそあるものの、初めての長距離移動、そしてこちらの家の車に乗るのも初めてで、機嫌がいい方がおかしいのだ。新神戸駅から陽介は泣きっぱなしで、まもりはむなしい声かけを続けながらガーゼのおくるみに包み直し、フラットに倒していたチャイルドシートから抱き上げた。こうすることで、多少は安心するようなのだ。

そのまま表に出たまもりは、カーポートから家の全景を眺められるところまで移動して、あらためて唸《うな》った。

「おおー……」

「気になるか？」

葉二もオムツや着替えが入ったマザーズバッグを持って、まもりの隣にやってくる。

「出ていく時は、まだ養生してる箇所が多かったから、よくわかんなかったんですよね」

「悪かねえだろ」

「こうなったんだー」

屋根、壁の色、ウッドデッキの位置にレンガの菜園《ポタジェ》。図面でも写真でも完成図は見てきたが、現物をこの目で見るのはまた別の感動があった。

「あ、もうポタジェに色々植えてある。はやっ」

「そんなん早い者勝ち——いや、黒土のまんま置いとくのも殺風景だろ。遊ばせておくのももったいねえし」

絶対最初の方が、本音だと思った。陽介を抱いていなかったら、膝裏を蹴ってカックンさせていたところだ。

「ほら、陽介の奴がまたぐずりだすぞ。さっさと家ん中入ろうぜ」

「機嫌悪いのはもうずっとです——」

この卑怯《ひきょう》者。大人げない園芸ジャージめ。おまえはいくつだ。腹の中で罵りながら、葉二について家の中に入った。

川崎から持ってきた荷物一式を、葉二がリビングの床に置く。

「代わるぞ」

むずがる陽介を、おくるみごと引き受けてくれた。自由に室内を見てこいということらしい。

まもりは遠慮なく、そうさせてもらうことにした。

まずは今いる、小上がりの畳エリアがついたリビングルーム。陽介の昼寝は、ここでさせることになるだろうか。

小上がりの隣に、葉二の書斎がある。ドアで閉めきることはできるが、開閉できる室内用の小窓もついているので、中とのコミュニケーションは容易なはずだ。作り付けの棚に配線済みの機材と、長年使ってきたデスクワーク用の椅子が見えた。

反対側には広めのキッチンと、まもりが使えるカウンターデスクがある。ここは葉二もほぼ手つかずにしてあって、まもりがどう使ってもいいのだと思うとわくわくした。

（食料庫《パントリー》、洗面所、お風呂場……そうだったキッチンの床！）

こだわっていた、調理台の高さ問題。

あらためてシンクの前に立って、収納式の床を出したり引っ込めたりしてみた。

「おおー……エクセレント」

「今んとこ不具合はねえぞ」

陽介を腕に抱えた葉二が、背後に立った。

「二人でご飯作る時が見物ですね」

「なんとコンロからガスが出てお湯も使えるんだ」

「それは普通では」

「おまえは当たり前の幸せがわかってない」

何か哲学的な説教をされてしまった。

キッチンから外に出られる勝手口、野菜が洗えるスロップシンクも実際に確認した。どの動線からも、家族の気配を感じてアクセスしやすいのがありがたい。

階段で二階に上がる。

(こっちのミニ洗面所は、確か葉二さんのサイズで作ってもらったんだよね)

全ての床を、キッチンのような仕様にするわけにもいかないので、このあたりは棲《す》み分《わ》けだ。朝の忙しい時間帯に、洗面台を奪い合わずにすむという利点もあるだろう。

子供部屋になる予定の洋室は、壁紙も明るいものに指定していた。今はまだ陽介が使えない玩具や、ベビー用品の在庫がまとめて置いてあった。そのうち学習机やランドセルも、ここに仲間入りするはずだ。

夫婦の寝室には、前から使っていたダブルベッドに加え、陽介用のベビーベッドが新顔として用意してあった。

「それな、ユウキがこっち来た時、組み立ててしてくれたんだわ」

「羽田《はた》さんたちが贈ってくれたのですよね」

「そうそう」

「早く内祝い発送しなきゃ」

まもりはやっと機嫌が直ってきたらしい陽介の頬を、人差し指でくすぐってみた。

「陽ちゃーん、今日からここでお休みするんだよー。できるかなー」

産まれた時から丸かった我が子の顔は、日に日に肉付きがよくなってきて、ますます真円に近づいていた。総じて言うなら可愛《かわい》すぎて、ついついいじってしまう至高のほっぺなのだ。

「どうだまもり、イメージできそうか？」

葉二があらたまった調子で聞いてくる。

イメージ。想像する。ここで生活していくこと。寝て起きてご飯を作って、子供を育てて仕事に行って、この人と一緒に毎日を生きていく。

まもりは笑った。

「ねえ、せっかくだから写真撮りません？」

「ならよし」

「ぱっちり」

思いつきだが、いい案に思えた。

新しい家に家族全員がそろった、第一日目だ。最初に三人の記録を残すのは、大事なことだろう。幸いにして二人とも、今の格好は外出着だ。

「実家とか、つくばのお義父《とう》さんお義母《かあ》さんにも送っておきましょう。『無事到着しましたよー』って」

「……別に構わんが、どこで撮るんだ？」

「それは――」

まもりはあたりを見回す。

ちょうどレースカーテンのかかる窓から、表の光がさしこんでいた。

「やっぱりお庭じゃないでしょうか。背景をお家《うち》にして」

「そんなとこか」

さっそく実行に移すことにした。

「……どう？　ここでいい？」

「いや、もうちょい右。OK動くな」

三脚で固定した一眼レフのファインダーを、葉二が覗《のぞ》きこみながら指示を出してくる。

彼が仕事に使う撮影機材が、書斎に置いてあって良かったというべきか。思ったよりも本格的な撮影会になってしまったなと、庭で陽介をあやしながらまもりは思った。

(わたしが産後の着たきりパジャマじゃなくて、葉二さんもジャージ眼鏡じゃないから、ちょうどいいと思っただけなんだけどな)

家の全景がおさまる場所というと、撮る位置も角度もかぎられてくるようで、けっきょく菜園の前に立って、並んで記念撮影をすることになった。

「やっぱ俺が色々植えておいて良かったろ。緑があった方が彩りになる」

「そういうのを結果論って言うんでーす」

もしくは屁理屈《へりくつ》。おとなしく聞いてなどやるもんかだ。

立ちながらあたりを見回していると、ウッドデッキの端に並べた複数の鉢が目に入った。

前の家から持ってきた、薔薇《ばら》のマロンや温州《うんしゅう》みかんたちだ。

六甲《ろっこう》のマンションどころか、練馬《ねりま》のベランダから一緒だった子たちだ。何度かの植え替えを経て、気がつけば一番の古株になってしまった。

「ねえ葉二さん。相談なんですけど」

「なに」

「あのみかんのミッチー、お庭に植えられないですかね」

カメラの調整をしていた葉二が、顔を上げた。

「薔薇は二階のバルコニーか、ウッドデッキが居場所でいいかなって思うんですよ。でもミッチーは今からでも地面に植えて、大きくしてあげてもいいんじゃないかなって」

失敗したら、樹《き》にとっても大ダメージだ。葉二に厳しいと言われれば、諦めるつもりだった。

「無理ですかね」

「いや……大丈夫なんじゃねえの」

「いけますか」

「松川《まつかわ》さんにな、野菜以外にシンボルツリーは植えるかって聞かれて、けっきょく決めないまま舗装してない箇所があるんだよ。あそこに移植すりゃちょうどいいよな」

確かに庭の一部に、ぽっかり空いた謎の三角地帯があった。あれはそういう意味だったのか！

「あとで植え替えのやり方調べとくわ」

「わたしも調べる！」

葉二がカメラのタイマーをセットし、こちらにやってきた。

「すごいわくわくしてきた」

「わかったから前を向け。十秒しか設定してないぞ」

「はいはい記念撮影ターイム」

亜潟家の、記念すべき第一歩。輝かしいアニバーサリーの一ページを飾るのだ。

まもりは陽介を抱えたまま急いで前髪を直し、よそ行きの笑顔を作る。

（──ん？　アニバーサリー？）

その時、何かが頭の中で引っかかった。

ちょっと待て。待て待て待て。今日はいったい、何月何日だ？

気づいたまもりは、愕然《がくぜん》とした。

「……どうしよう葉二さん。びっくりだ……」

「は？」

「すっかり忘れてた。なんで？」

「だから何がなんだよ。新幹線におしゃぶり忘れたのは、もう諦めようって話しただろ」

「そうじゃなくて、誕生日！　陽介じゃなくてわたしたちの！」

ぱしゃりとタイマーが作動した。

それでも葉二はぽかんと鳩《はと》が豆鉄砲をくらったような顔をしているし、まもりはそんな葉二を真剣に見上げている。

彼もまったく意識になかったらしい。恥ずかしながら、まもりもなのだ。

「……ああ、確かに過ぎてるな……」

「ど忘れって怖い……」

まもりの誕生日が十一月の二十七日で、葉二が一日違いの二十八日。

それがわかった時から、毎年多かれ少なかれ、どちらかの日にお祝い自体はしてきたのである。今回初めて、『両方終わってから気づく』をやってしまった。

「まあ、今年は色々あったから」

「だからですよね。お家買うわ引っ越しするわ、子供産まれるわ」

こんなにめまぐるしい一年は、生まれてはじめてかもしれないと思った。

でも、たぶん葉二もわかっている。嘆く必要などない。そのぶん手に入ったものが、かけがえのないものなのも確かなのだから。

腕の中で寝息をたてる息子の陽介を見て、一生ぶんのバースデープレゼントは貰《もら》ってしまったなと思う。

もちろんまもりは強欲なので、今後もプレゼントは要求してしまうだろうし、ミッチーの移植イベントなど、楽しみにすることは山ほどあった。

「撮り直すぞー」

「はいはい、笑顔で！」

少し夕焼けに染まりはじめた我が家の庭で、家と野菜の株を背景に、亜潟家の記念写真を撮った。

この澄ました画像の方が出来はよかったのだが、印象深いのは最初の一枚で、ぽかんとする葉二に鼻息が荒いまもり、生後一ヶ月の陽介すら絶妙に変顔をしていたので、まもりたちは長くそれを待ち受けに設定していたのである。

エピローグ　Midday Dream, Mamori's Dream.

想像してほしい。誰にでも、分岐点というものはあるはずだ。

長い長い人生において、大きく道が分かれるターニング・ポイント。そこを右に行くか左に行くかで、道中の見える景色も、たどりつく場所も変わってしまう。そんな事件や出来事が、きっと一つはあるはず。

まもりにも一応あって、それはそこそこインパクトのある事件だったので、いままでにも何度か夢に出てきたことがあったのだ。

ただ今まもりが俯瞰《ふかん》して見ているのは、その重大な事件があった日の夜。練馬《ねりま》警察署から自宅にいたる住宅街を、パーカーにショートパンツという軽装で歩く、十八歳の自分自身だ。

『ほんとに、涼子《りょうこ》ちゃんがあんまりっていうか……どうしてこんな重要なことを教えてくれなかったんだって感じです……』

『まあ、そこは仕方ないと思うしかない』

『思えませんよ』

『まさか君と栗坂《くりさか》さんを、ストーカーが取り違えるなんて思わなかったんだろう』

まもりの隣で話をしているのは、当時マンションの隣人だった亜潟葉二《あがたようじ》である。従姉妹《いとこ》の涼子のストーカー事件に巻き込まれたが、彼の助けで窮地を脱したのだ。

もともとスーツが似合って格好いい人だと思っていたところに、命の恩人という重大な要素も加わってしまったのである。こうして客観的に見直してみると、二十九歳の葉二の言動一つ一つに反応し一喜一憂していて、この時点でも充分恋をする予兆はあったのだなと、気恥ずかしくも甘酸っぱい気持ちになった。

（いいなあ、若いなあ）

やがて二人が、『パレス練馬』に戻ってくる。

エントランスでまもりの夕飯がないことを知り、葉二がまもりを部屋に誘う。

『いくらなんでも、侘《わ》びしすぎるだろう。なんならうちで、食べていくか』

『――え。それはちょっと……』

ちょっとちょっとちょっとちょっと――っ！

俯瞰するまもりが叫んでしまった。

それはないでしょう。いつからそんなにお行儀がよくなったの、あなた。

確かに常識で判断するなら、夜中に殿方の部屋に上がり込むような真似《まね》をする方がまずいわけで、後々葉二にまで苦言を呈されてしまったほどだ。

だがしかし、そこで怖い物知らずだったからこそ、葉二のベランダ菜園という、別の一面を知ることができたのである。

『そう。なら気をつけて』

『お世話になりました』

ほら。別れて自分のお部屋に帰っちゃったじゃないの。

どうするの。

どうするのこれから。


その後もじりじり見守ってみたが、お行儀がいい方のまもりは、葉二にすっかり興味をなくしてしまったようだった。

『まもりって、最近イケメンサラリーマンって騒がなくなったよね』

『……んー……かもね』

大学で仲がいい湊《みなと》に聞かれても、ご覧の通りの反応の薄さだ。

『なんか思ってたのと違うっていうか……』

『どう違うのさー』

『最近よくね、よれよれのジャージ着て、瓶底眼鏡かけて、昼間にすれ違ったりするから怖いんだよね』

『うわ。それって会社クビになったんじゃないの』

そりゃそうでしょうよとまもりは思う。あれから葉二はデザイン事務所の『EDGE《えっじ》』を辞めて、無職ならぬフリーランスのデザイナー業をはじめているのだから。

あの日部屋に行かなかった君には、理解できないことだろう。

『やっぱまもり、佐倉井《さくらい》君にしときなよ。愛想ないけど真面目だよ』

『そうなのかなー……こないだ水族館行こうって言われたんだよね』

『行っとけ行っとけ』

やめてくれ、煽《あお》らないでくれ。

そちらに行かれてしまうと、もはやまもりには予測不可能なルートになってしまう。

夢の中の佐倉井真也《しんや》とは、大学一年の終わりに告白されてつきあったが、三年のインターンシップ前にお別れとなった。彼の予想以上の熱帯魚愛と、ペットのアロワナにあげるワームとコオロギだけが、どうしても慣れなかったようだ。

『次はもっと普通の人がいい』

『飲めまもり。私が許す』

いったいいつまで、この奇妙な夢は続くのだろうか。

ベランダに行かなかったから野菜のことも知らず、冷蔵庫のレタスがしなび続け、親との約束も守れず外食の回数だけが増えていった。

就活に関しては、今のまもりよりも簡単だったようだ。律開大《りつかいだい》のブランドが効く東京《とうきょう》の企業に、比較的あっさりと内定を貰っていた。

遠くに行く必要もなかった。

卒業と同時に涼子がダラスから帰国して、まもりは川崎《かわさき》の実家から東京の会社に通勤する、一般的なOLになった。

『栗坂さん。ちょっといい?』

『なんでしょう』

『A社の営業さんとの飲み会に、欠員出ちゃってさ。栗坂さん今フリーだったよね。良かったらどう?』

思えば早いうちに葉二とつきあってしまったので、この手の合コン的イベントにはとんと触れずに来てしまった。同期の話によると、マルタニの内部でも色々と催されているらしいが、既婚者のまもりは蚊帳の外だ。そうでないと困るのだが。

『――はじめまして。営業二課のタカハシです』

『広報の栗坂です。はじめまして』

かくして終業後に開かれる、お酒を伴う出会いの場。初対面でにっこり笑って、おしゃべりの後に連絡先の交換。アナザーまもりは二歳年上の、タカハシのことが気になり始めたようだ。営業なのでスーツが板についていて、そこそこ背が高く、そういう意味でまもりの趣味に合致していたわけである。

数年の平凡な交際を経て、彼からのプロポーズ。そして挙式と入籍。披露宴会場は、親族と会社関係者が集まる都内のホテルだった。

『おめでとう』

『おめでとうタカハシさん。幸せになってね』

もういい。充分だ。よくわかったからこの夢《ルート》を終わらせて――。

何度目かの暗転の末、ようやくまもりは目を覚ますことができた。

（……戻れた？）

今、まもりはリビングの小上がりにいて、畳に敷いた子供用布団に寄り添う形で寝そべっていた。

お昼寝タイムの陽介《ようすけ》を寝かしつけているうちに、自分まで寝てしまっていたようだ。

「……あー……ほんっと変な夢だった……」

目をこすりながら、起き上がる。

畳の跡がついた体の節々が痛くて、風邪で何日も寝込んでいたような倦怠《けんたい》感があった。

小さな布団に、寝かしつけたはずの子供の姿はない。

歩けるような月齢ではないし、夫が連れ出したのだろうか。

「葉二さーん」

休日で在宅しているはずの、パートナーの名前を呼ぶ。しかし、返事はなかなか返ってこなかった。

「葉二さん？」

がらんとしたリビングに一人でいて、声を上げても耳をすましても物音一つ聞こえてこず、なんだか急に不安になってきてしまった。

本当にまもりが呼ぶべき名は、これでいいのだろうか。

実は――タカハシだったりしないか？

（そんなわけないって）

ぞっと背筋が粟立《あわだ》った。

大丈夫、自分はあの時、お利口にはならなかった。図々《ずうずう》しくお隣に行って、野菜だらけのベランダを見た。ご飯を作って食べた。イチジクの畑にも行った。葉二のことを好きになって、結婚して子供も産まれた。

そう思うのに、手元には証明するものが何もなく、庭にあるはずの家庭菜園も、小上がりにいてはうまく見えないのだ。

自分がタカハシまもりではなく、亜潟まもりである証明。運転免許証。保険証。みんな鞄《かばん》の財布の中だった。

「そ、そうだテレビ……ローカル番組……」

小上がりを降り、とっさに目についたテレビのリモコンをつかむ。ここに関西限定のCMか番組が映れば、ここが東京ではなく神戸《こうべ》であることの証明になるはずだ。震える手でスイッチを入れる。

「あ、だめだこれNHKだ！」

いつまでたってもCMに入らないと思ったら。

「――起きたのか、まもり」

うわあ、やだあ！

現実を直視するのが嫌で、とっさに目を閉じ、顔もそむけそうになるが。

「あー、マー」

「どうかしたのか？」

あどけない声もして、思い切って薄目を開けた。すると胸に抱っこ紐《ひも》で陽介を抱える、ジャージ姿の葉二が立っていた。

「どこ行ってたのお……」

「表で野菜収穫してきたとこだ。夕飯に使おうと思って」

キッチン用のザルに、つやつやとした葉付きのカブとホウレンソウが入っていた。

恐らく玄関ではなく勝手口経由で、家の中に入ってきたのだろう。

まもりの顔を見て、抱っこ紐の中で手足をぶらぶらさせていた陽介が、嬉《うれ》しそうにもみじの手をのばしてくる。

「良かった……良かったよお……」

「まもり？　おい大丈夫か」

ほっとするあまり半泣きで、陽介ごと葉二を抱きしめたのだった。

里帰り終了から季節はめぐり、暦は五月になっていた。

まもりは育休を続けていて、息子の陽介は来週で生後七ヶ月になる。お座りもおぼつかないながらできるようになっていて、今はカーペットの上に敷いた座布団をプレイマット代わりに、音が出る玩具を鳴らして遊んでいた。葉二いわく『マジで毎日顔が変わる』とのことで、遅く帰ってきてもトマトの生長なみに観察を怠らないのが面白い。

そんな息子の様子をソファで見守るまもりは、ついさっき見た夢を葉二に話した。

「もうね、変にリアルすぎて。起きた時に、一瞬どっちにいるのかわからなくなっちゃってさ……」

「俺じゃなくて、タカハシが出てくると思ったのか」

「そうそれ」

げっそりしてしまう。

「そんなに悪かったか、別ルートは」

「それがね……別にいいも悪いもないっていうか、それなりに馴染《なじ》んでそうだった自分がちょっと嫌……」

葉二が、声をあげて笑いだした。

「ありうる。おまえそういうとこあるし」

怒られたいわけではないが、ここで大ウケする葉二もよくわからなかった。

逆に訊《き》く。

「葉二さんは、あの時わたしがついて来なかったら、どうしてたと思う？」

「どうも何も。普通に一人前の夕飯作って、事務所辞めた祝杯あげてたと思うぞ」

「彼女は？　建石《たていし》さんとより戻してたかな」

「それはねえだろ……」

ないのか。そうか。

葉二は顎をかきつつ、思案げに眉の根を寄せた。

「まあフリーで仕事は続けて、縁があったらその時つきあってる奴と結婚ぐらいは考えたかもな。何歳でかはわからんが」

「なるほど……」

つまり今のまもりに夫タカハシ（仮）のルートがあったように、葉二にも家庭菜園の野菜を収穫して戻ってきたら、妻マリコ（仮）が待っている世界線があったのか。

「そう考えると不思議だな……わたしよく葉二さんの奥さんになれたな」

「殊勝なこと言ってくれるじゃねえの」

「だってほんと奇跡だし――あああ、陽ちゃん！　カブを食べない！　それ食べ物だけど君には早い！」

お座りから腹ばいに形態を変えた陽介が、ザルにあったはずの野菜を引き寄せ、あむあむと噛《か》みついていた。

「なんで手が届くとこに置くかな」

「届くと思わなかったんだって」

「陽ちゃん陽ちゃん、カブ食べたいならママがスープにしてあげるから。おいしいよカブのポタージュ」

「思いっきり吐き出されてたやつか」

「うるさい」

収穫したての野菜が食育になるなど、幻想だ。最近離乳食を始めて、痛感しているところだった。

カブから息子を引き剝がし、ご機嫌斜めになるところを抱っこであやす。

窓の向こうに、ベランダ菜園の頃から変わらぬ緑が見えた。

地面に植えようと言っていた温州《うんしゅう》みかんは、この春、庭の南側に移植して花が咲いた。

食べられるものが近くにある、それって本当に素敵だ。きっとそのシンプルな気持ちがまもりたちを繋《つな》いでいて、今ここにいるのだとあらためて思った。

この作品はフィクションです。実在の人物や団体などとは関係ありません。

まもりと葉二のおいしいベランダ。クッキングレシピ12

チリトマト鍋

材料　（2人ぶん）

A
- キャベツ……………… 130g
- じゃがいも……………… 120g
- ピーマン……………… 1個
- 玉ネギ……………… 100g
- 鱈のあら……………… 100g
- 有頭エビ……………… 2尾
- ウインナー……………… 4本

B
- ケチャップ………… 大さじ2
- 顆粒コンソメ………小さじ2
- チリパウダー………小さじ1
- 水………………………カップ2

- ニンニク……………………1かけ
- オリーブオイル……… 大さじ1.5
- カットトマト缶……………… 1缶
- ピザ用チーズ………… お好みで
- 鍋用乾麺…………………… 1玉

1. ニンニクはみじん切り。キャベツ、ピーマンはざく切り。玉ネギは薄切りにする。
2. じゃがいもは皮をむいて乱切りにし、耐熱容器に入れて軽くラップをかけ、2分ほど加熱する。
3. 鍋にオリーブオイルを入れて熱し、ニンニクを入れる。香りがたってきたらトマト缶を入れ、一煮立ちさせる。
4. Bを入れてよく混ぜ、Aを入れて中火で火が通るまで煮る。
5. 取り分けた器に、ピザ用チーズをかけてできあがり。締めは余ったスープでラーメンを作る。

一口メモ

わたしは食べてないんでわかりません！　きー！

まもり

葉二

こんなところで拗ねるなよ……

食べてないですが、締めは冷やご飯でリゾットもいけます！

鱈はあらでも切り身でも可

どうぞなにとぞ召し上がれー

あとがき

なんと番外編の第二弾でございます。

全十巻とキリのいいところで終わりにし、その後の二人はぼんやり考えていても実際に書くことはないんだろうなと思っておりましたが、書くことになってしまいました。大変です。

まもり懐妊&出産。

亜潟《あがた》家住宅購入。

産休・育休どうする。

比較的のんびりと結婚生活を送っていた二人にも、ライフステージに沿った問題が持ち上がってきます。特に出産や育休まわりは経験者に聞けということで、KADOKAWAさんの人事部の方（住宅購入&育休経験者）にインタビューもしました。前回の法務さんといい、『おいしいベランダ。』はKADOKAWAの各部署に大変お世話になりながら執筆しております。こういう世話のなり方ってどうなのよと思いつつ……。

しかしこのあたりになってくると、本当に各家庭ごとに答えが違っていて、それでも主人公が選択した道が作中では正しいように見えてしまうのは、なかなか悩ましいものだなと書きながら思いました。色々あった保活まわりについては、特定の自治体を指したものではなく、複数の地域の条件を混ぜておりますことをあらかじめご了承ください。

お家関係《うち》については、『外から見た亜潟夫妻』を一度書いてみたいと思い、この巻数ながらリフォーム会社営業、松川基《まつかわもとい》に登場してもらいました。作中で作る料理もカラーがあり、『ちょっと一ひねりしてあって、味付けか工程が豪快』なら葉二《ようじ》担当、『簡単またはカフェにありそう』ならまもり担当と、キャラの性格に合わせて創作してきましたが、亜潟家に刺さりそうな家のプランを考えるのもまた楽しかったです。

一巻の表紙と見比べると、二人とも年を取り、家も変わり、家族も増え。それでもまだまだ長い人生の一部分なのでしょう。

今回もこの読書が、皆様の『おいしい』時間となりますように。竹岡葉月《たけおかはづき》でした。

お便りはこちらまで

〒一〇二―八一七七
富士見L文庫編集部　気付
竹岡葉月（様）宛
おかざきおか（様）宛

富士見L文庫

おいしいベランダ。
亜潟家《あがたけ》のポートレート

竹岡《たけおか》葉月《はづき》

2023年8月15日　初版発行

発行者　山下直久
発　行　株式会社 KADOKAWA
〒102-8177　東京都千代田区富士見2-13-3
電話　0570-002-301（ナビダイヤル）

印刷所　株式会社暁印刷
製本所　本間製本株式会社
装丁者　西村弘美

定価はカバーに表示してあります。　◇◇◇

●お問い合わせ
https://www.kadokawa.co.jp/（「お問い合わせ」へお進みください）
※内容によっては、お答えできない場合があります。
※サポートは日本国内のみとさせていただきます。
※ Japanese text only

ISBN 978-4-04-074996-9 C0193